SERIE PIPER
Band 1566

Zu diesem Buch

Diese ebenso spannende wie amüsante Geschichte von dem Maulkorb, der eines Morgens in einer Kleinstadt am Denkmal des Landesherrn hängt, die Suche nach den unbekannten Schurken, die eine solche Missetat verübten, der dornige Weg des mit dem Fall geplagten Staatsanwalts – das gehört längst zum klassischen Bestand unserer humoristischen Literatur. Spoerl ist ein Meister der überraschenden Wendung. Treffend vermag er die großen und kleinen Eigenheiten und Eitelkeiten der Kleinstadt zu skizzieren, scharf pointiert er die Menschen und ihre Schwächen.

Heinrich Spoerl (1887–1955) verfaßte zahlreiche heitere Romane und Geschichten und wurde durch seinen mit Heinz Rühmann verfilmten Roman »Die Feuerzangenbowle« berühmt.

Heinrich Spoerl

Der Maulkorb

Piper
München Zürich

Von Heinrich Spoerl liegen in der Serie Piper
außerdem vor:
Gesammelte Werke (852)
Die Hochzeitsreise (929)
Der Gasmann (1316)

ISBN 3-492-11566-7
Neuausgabe 1992
14. Auflage, 101.–106. Tausend Juli 1992
(1. Auflage, 1.–6. Tausend dieser Ausgabe)
© R. Piper & Co. Verlag, München 1947
Umschlag: Federico Luci,
unter Verwendung einer Illustration von Ise Billig
Satz: J. G. Weiß'sche Buchdruckerei München
Druck und Bindung: Clausen & Bosse, Leck
Printed in Germany

In der Nacht zum zweiundzwanzigsten August geschah jenes absonderliche Bubenstück, das noch heute allen Gutgesinnten eine Gänsehaut über den Rücken jagt.

Am Tage vorher war noch alles in Ordnung. Hart und eckig in den silbrigen Morgenhimmel schnitt die Silhouette des Denkmals, das die dankbare Stadt ihrem derzeitigen Landesherrn errichtet hat. Auf wildsprengendem Streitroß stemmt sich steil und stolz die eherne Gestalt mit Helm und Harnisch und achtet nicht des grimmigen Drachen, der sich unter den harten Hufen des Hengstes zu Tode rollt und das traditionelle Aufsatzthema der Unterprima bildete.

Um das Denkmal brodelt der Wochenmarkt. Breite Bäuerinnen mit bunten Kopftüchern hocken an ihren Ständen und wärmen die roten Finger an bauchigen Kaffeetassen. Hochbusige Frauen und steifgestärkte Mädchen drängen sich durch die Reihen der Obst- und Gemüsekörbe, fragen Preise, handeln und gehen weiter. Dazwischen schlanke Offiziersfrauen mit hinterdrein trottenden Burschen, anspruchsvolle Junggesellen mit verschämten Lederköfferchen, wacklige Mütterchen mit kartoffelgefüllten Netztaschen, und über dem Ganzen ein weicher Wind vom Rhein und ein bunter Geruch von Gurken, Lauch, Äpfeln, Kohl und Sellerie.

Soweit war alles wie sonst.

Aber es lag etwas in der Luft. Die Bauern mit Schirmmützen und schwarzen Strickjacken, die sonst die Körbe schleppten und die Kartoffeln abwogen, kümmerten sich nicht um Karren und Bäuerin und standen in Flüstergruppen mit hochgezogenen Schultern, streckten die hageren Hälse vor und knautschten mit sandigen Fingern in einer Zeitung. Mitunter zeigten sie mit dem Daumen über die Schulter auf das Denkmal, hielten die Hände an den Mund und tuschelten aufeinander ein.

Woraus der Kundige ersieht, daß es um die hohe Politik ging.

Die Volksseele kochte, hier und allerorten. In den Büros steckten sie die Köpfe zusammen, auf den Bierbänken rückten sie enger zueinander, am Kaffeetisch rissen sie sich den Generalanzeiger aus der Hand.

Was steht in der Zeitung?

Nichts steht in der Zeitung.

Eben das ist es, was die Gemüter erregt. Wenn der Landesvater eine Rede hält, will man wissen, was er gesagt hat. Und wenn daran etwas nicht in Ordnung ist, wenn ihm beim Reden wieder einmal das Temperament durchgegangen sein sollte, will man erst recht wissen, wieso und warum. Darauf hat man ein verfassungsmäßiges Recht.

Die Zeitungen schweigen: Also stimmt etwas nicht. Der Flüstertelegraph arbeitet mit unheimlicher

Fruchtbarkeit. Was man nicht erfährt, muß man erfinden. Aus Möglichkeiten werden Vermutungen, aus Vermutungen Tatsachen.

Morgens: Was wird er schon gesagt haben? Vielleicht wieder einmal etwas gegen die Kritik oder die Witzblattdichter.

Mittags: Haben Sie schon gehört? Gegen die ewigen Nörgler hat er gewettert, und auch von einem Dichter war die Rede.

Abends: Wie, das wissen Sie noch nicht? Stänker hat er gesagt, und auf ein gewisses Goethewort hat er angespielt.

Stänker gilt für alle. Hier fühlt sich jeder getroffen. Niemand hat ein reines Gewissen. Aber ist man darum ein Stänker? Ist das „die Freiheit, die ich meine"?

Und was ist mit dem gewissen Goethewort? Goethe hat man auf der Schule gehabt, in kleinen, sorgfältig ausgesuchten und gereinigten Portionen. Was mag noch alles in diesem Goethe stehen? Goethe ist immer verdächtig. Die Buchhändler verkaufen ihre verstaubten Klassiker und wissen nicht, wie ihnen geschieht. Und die Wirte haben ihren großen Tag. Die engen Beziehungen zwischen Politik und Alkohol sind wissenschaftlich noch nicht erforscht, aber unbestreitbare Tatsache. Es ist auch durchaus gleichgültig, ob die politische Betätigung den großen Durst und die großen Gemäße nach sich zieht, oder ob die großen Gemäße erst die politischen Begabungen wecken und ins Ungemessene steigern. Vielleicht ist es auch eine gegenseitige Wechselwirkung, eine Art Rückkoppelung. Jedenfalls sind die bevölkerten Holztische von jeher die Pflegestätte geräuschvoller Untertanenpolitik.

Die besseren Herren trinken Wein und wissen es besser.

*

Kleine Städte sind wie kleine Kinder. Sie werden zeitig zu Bett geschickt.

Als es auf Mitternacht ging, war die Erregung abgeklungen. Der „Ührige", wo Fuhrleute und Regierungsräte im Stehen ihr Obergäriges trinken, hatte schon zugemacht, und auch die „Kanon" entließ ihre letzten Gäste und leierte die knarrenden Rolläden herunter. Der städtische Mann mit der Stange hatte bereits die Gaslaternen gelöscht; nur auf dem Markt und an den Straßenecken brannten noch einsame Lampen für die Späten. Ein herbstlicher Nachtnebel lag spiegelnd über dem Pflaster, und irgendwo zuckelte eine verliebte Droschke um die Ecke.

Polizeisergeant Drahtschnauz ging seine Runde.

Er hatte auch einen richtigen Namen, genau wie seine Kollegen Pulverkopp und Mittenmang. Aber den wußte niemand; vielleicht stand er im Adreßbuch. Das waren keine sehnigen Gestalten mit ehernen Gesichtern und unbestechlicher Sachlichkeit, sondern gutgenährte Leute mit roten Aufschlägen auf blauem Tuch und blitzenden Pickelhauben, Individualitäten, vielleicht auch Originale, jedenfalls aber unentbehrliche Inventarstücke ihres Reviers.

Drahtschnauz schritt wie immer auf der Mitte der Straße. Nicht aus Platzmangel. Er wollte sehen – und gesehen werden. Mit sanftem Machtbewußtsein hörte er das harte Klingen seiner Stiefel durch die nachtstille Stadt.

Am Marktplatz stand noch ein Lichtspalt. Er kam aus der Weinstube Tigges am Treppchen, wo man wie gewöhnlich Überstunden machte. Diesmal recht lebhafte Überstunden; ein Gewirr heftiger Stimmen drang auf die Straße und fing sich zwischen den schallverstärkenden Häuserfronten.

Polizeisergeant Drahtschnauz gab sich alle Mühe, aber das konnte er nicht überhören. Er wollte es auch gar nicht, sondern zog seinen blauen Rock strammer über den Bauch und ging hinein. Ein Gemisch von Licht, Lärm und Rauch schlug ihm entgegen, und dann steht er vor einem runden Tisch, sieht wohlachtbare, angeregte Herren und volle Aschenbecher und leere Weinflaschen und hat den Herd der Übertretung ermittelt. „Verzeihen die Herren, aber ich muß doch dringend bitten . . ., pardon, Herr Staatsanwalt, ich habe nicht gewußt – ich wollte natürlich –"

Staatsanwalt von Treskow wendet den Kopf und sieht an den blanken Knöpfen empor. „Ich hoffe nicht, Herr Sergeant, daß die Rücksicht auf meine Person Sie in Ihrer Amtshandlung hindert."

„O nein, gewiß nicht."

Aber nun weiß der Polizeisergeant doch nicht, was er tun oder lassen soll. Dafür weiß es Frau Tigges. Sie weiß vor allem, warum der Herr Sergeant gekommen ist, und bringt ihm einen breiten Pokal grünen Mosels. Der Beamte schüttet ihn mit soldatischem Ruck in sich hinein, wischt die glitzernden Weinperlen aus dem drahtigen Schnauzbart, salutiert und hat seine Amtshandlung beendet.

Der runde Tisch will noch etwas von ihm wissen: Was er zum Beispiel tun würde, wenn jemand „Stänker" zu ihm sagte?

Der Polizist weiß es nicht. Er weiß vor allem nicht, ob man ihn aufzieht oder ihm eine Falle stellt, und lächelt dünn und vorsichtig. „Gewiß — ja — das heißt, wie man's nimmt — es käme natürlich ganz darauf an, wer das gewissermaßen sagte."

„Volkesstimme!" brüllt der Tisch.

Als der Beamte fort ist, entflammt der Disput von neuem; gedämpfter, verbissener. Über den „Stänker" käme man noch hinweg, das ist wenigstens klar und eindeutig. Aber das „große Goethewort" kann man nicht schlucken. Es gibt Ausgaben von vier, zehn und fünfundvierzig Bänden; viele Worte stehen darin, und alle sind groß. Welches ist gemeint? Und warum nennt er es nicht?

Das wilde Rätselraten geht weiter. Etwa: „Mehr Licht?" Wieso mehr Licht? Ist man ein Dunkelmann? Oder vielleicht: „Knurre nicht, Pudel?" Wer knurrt denn? Ist man ein Hund? Oder meint er am Ende — um es geradeheraus und mit Verlaub zu sagen — das Zitat aus dem „Götz", das berühmte mit den Pünktchen?

„Meine Herren ich bitte Sie! Das ist doch unmöglich, das kommt bei einem so hohen Herrn doch gar nicht in Frage, das wäre ja —"

Aber wozu dann Goethe?

Also!

Sie lachen und hauen auf den Tisch und verschlucken sich vor Freude und Empörung.

Staatsanwalt von Treskow sitzt dazwischen und sagt kein Wort. Mißmutig zieht er das narbengeschmückte Kinn hinter den Stehkragen und preßt die geraden Lippen und blickt steil an den Leuten vorbei; seine grauen Augen versuchen härter zu tun, als sie können.

Ein Staatsanwalt hat es schwer. Andere können am Abend ihren Rock ausziehen und als Mensch unter Menschen gehen. Staatsanwalt bleibt Staatsanwalt, der frostige Hauch seines Amtes hängt ihm nach. Andere dürfen eine Meinung haben und sie sogar äußern. Seine Meinung ist amtlich vorgeschrieben und erscheint im Ministerialblatt. Demzufolge fühlt er sich verpflichtet, seinen Landesherrn in Schutz zu nehmen. Man brüllt ihn nieder. Er fühlt selbst, seine Verteidigung klingt hohl. Er muß innerlich zugeben, „Stänker" ist ein unpassender Ausdruck. Und gar die Pünktchen in Allerhöchstem Munde —

Aber darum brauchen sie doch nicht zu schreien, daß man es bis auf die Straße hört! Sie sollten wenigstens Rücksicht auf ihn nehmen. Eben darum scheint es ihnen besonders Spaß zu machen.

Es ist überhaupt keine Gesellschaft für ihn.

Es ist besser, man geht. Frau Tigges kommt und

streicht sich den braunen Scheitel zurecht: „Eine Wehlener eins achtzig, eine Hasensprung zwei zehn —"

„Schau — schau, dem Herrn Staatsanwalt wird es brenzlig!"

„Der Herr Staatsanwalt hat wohl sein Quantum?"

„Und das gute Frauchen wartet!"

„Tja, und ein bißchen Angst hat er wohl auch."

Ein Staatsanwalt hat keine Angst. Niemals!

Und sein Quantum sieht anders aus. Und was Elisabeth angeht —

„Frau Tigges, eine Johannisberger Spätlese!"

Die Hänselei ist im Gang, jetzt reißt sie nicht mehr ab; die Spätlese kann daran nichts ändern. Es ist ein billiger Spaß. Mit den Flaschen wächst ihnen Mut und Geist, und der alte Doktor, der schon den ganzen Abend seinen neuesten Sprechstundenwitz anbringen will, gibt es auf und tut mit.

Treskow wahrt Haltung. Das ist seine Stärke. Er sitzt unbeweglich, sein Gesicht wird zu Stein, nur die Narben röten sich. Er steht wie auf Mensur. Manches im Leben hat er herunterwürgen müssen, Nase von oben, Renitenz von unten. Er schluckt auch dies und spült mit Spätlese nach.

Viel hat er an diesem Abend schlucken und sehr viel nachspülen müssen. Schon baut sich die vierte Flasche vor ihm auf, und sein illuminierter Blick kehrt sich nach innen. Was wollen sie von ihm? Er ist verdammt kein Musterknabe. In Greifswald und Rostock erzählt man noch heute von ihm, er denkt mit Respekt und Schrecken an sich zurück. Er würde denen schon zeigen, wer der Duckmäuser ist — wenn er dürfte, wie er wollte.

Aber er darf nicht und tötet sein Wollen mit einer fünften, schwersten Flasche.

Die Runde hat sich gelichtet. Der Zahnarzt redet schon langsam und beschränkt sich auf Worte, die er noch aussprechen kann. Und das werden immer weniger. Schließlich krümelt er ab, Arm in Arm mit dem Medizinalrat, der nun seinen aufgespeicherten Witz loswerden könnte, aber nicht mehr zusammenbringt. Treskow sieht leere Stühle; er wird nicht schlau daraus, wer noch da ist und wer nicht. Und dann ist es still. Er ist mit seiner Flasche allein. „Scheißkerle! Reißen das Maul auf bis hinter die Ohren, und dann sind sie auf einmal nicht mehr da."

Große Kreszenzen sind anspruchsvoll und verlangen einen Mann für sich, ohne Geschwätz und Gefolgschaft. Frau Tigges hat Verständnis für solche Weihestunden. Sie baut keine Stühle auf den Tisch, sammelt keine Aschenbecher, veranstaltet keinen Durchzug. Sie sitzt in ihrer Ecke und schreibt die Speisekarten für morgen und tut, als sei sie nicht da.

Der einsame Zecher stiert vor sich hin. Er hat das Feld behauptet. Was heißt Quantum? Aber nun überkommt ihn ein Gefühl der Verlassenheit. Weltschmerz dämmert auf.

Da erinnert er sich seines Genossen.

„Komm mal raus, altes M—Mistvieh."

Schwerfällig kraucht die mächtige Dogge unter dem Tisch hervor, blinzelt mit verschlafenen Augen ins

Licht, reckt den rechten, reckt den linken Hinterlauf, streckt den langen Rücken, gähnt bis hinter die Ohren und setzt sich breitbeinig auf.

„Sollst nicht l-leben wie ein Hund", spricht Treskow und gießt dem Tier einen Aschenbecher voll Wein. „Aber m-mit Verstand, August. Geisenheimer Mäuerchen Trocken-ausbeer-lese — L-Leerausbese — B-Beerauslese kriegen wir n-nicht alle T-Tage. — P-Prost, verdammter Sch-Schweineköter!"

August schnalzt und schleckt und legt die Ohren schief und säuft den geräumigen Aschenbecher leer. Er darf das öfter, wenn Herrchen guter Laune ist; aber so lecker war es selten. Und hört dankbar und geduldig den einseitigen Dialog, den sein hoher Herr mit ihm führt.

„August, w-wir sind anständige K-Kerle, wir b-beide. Anständige Kerle, und wenn wir auch m-manchmal das M-Maul halten müssen. Dann sind wir doch anständige K-Kerle! Aber d-das lassen wir uns n-nicht gefallen! August, w-was meinst du dazu?"

August ist der gleichen Ansicht, er tut einen tiefen Seufzer und senkt gedankenvoll die schweren Lefzen.

„Wir sind k-keine Stänker, August, und wir l-lassen uns keinen M-Maulkorb vorbinden — vorbinden. W-Wie wir gebaut sind! Das l-lassen wir uns n-nicht bieten, wir b-beide nicht! Und G-Goethe lassen wir uns erst recht nicht b-bieten: — Und w-was die P-Pünktchen anbetrifft, —" Treskow erhebt sich drohend in seiner knochigen Länge — „die P-Pünktchen — die verb-bitten wir uns — — bbitten wir uns!"

Treskow ist mit der Stimme übergeschlagen und fällt auf seinen Sitz zurück. Herr und Hund schweigen sich eine Weile an. Das hat er schön gesagt, und außerdem ist dabei sein Glas umgefallen. Man könnte jetzt aufbrechen.

Unvermutete Hindernisse stellen sich entgegen. Die Trockenbeerauslese hat ganze Arbeit getan. Verblüfft schauen sich die beiden Zecher an und wundern sich. Treskow glaubt auf Wolken zu schweben und findet keinen Boden unter den Füßen. August fühlt sich mit Blei ausgegossen und verheddert sich in seine zahlreichen Beine. Das B-Biest hat einen s-sitzen, konstatiert Treskow, der soll sich sch-schämen! Der hohe Herr ist besoffen, denkt August, ich muß g-gut auf ihn aufp-passen!

Edle Weine spenden edle Räusche. Aber der Wille siegt. Treskow merkt sehr wohl, daß der Kleiderhaken ihm ausweicht. Er überlistet ihn und legt sich auf die Lauer; mit einem plötzlichen harten Griff schnappt er sich Mantel, Hut und Maulkorb, steht wie eine Säule und stakert mit der nie versagenden Direktion eines sturmerprobten Semesters gegen die Tür, auf die Straße, in die Nacht.

Hinter ihm schließt Frau Tigges zu und löscht das Licht.

*

Die Nacht vom Samstag zum Sonntag ist nicht wie die anderen Nächte. Sie fängt später an, manchmal auch, wenn sie fast vorüber ist. Dafür ragt sie in den hellen Sonntagmorgen hinein. Da sind keine Arbeiter, die mit Eßkesselchen auf Frühschicht gehen, keine Straßenkehrer, die ihre Besen schwingen, keine Ulanen, die im Morgengrauen zur Heide ausrücken. Nichts stört den frühen Feiertag. Sechs Tage lang hat man das Recht erworben, sich am siebenten auszuschlafen. Man versäumt nichts.

Mitunter versäumt man doch etwas.

Auch der Marktplatz darf heute länger schlafen. Er liegt öde und still, während das erste Frühlicht über die Dächer gleitet. Im weiten Raum steht einsam und vergessen das Denkmal und ragt als dunkle Silhouette in den fahlen Morgen.

Langsam, mit steigendem Licht, zerfließt der Dunst. Ein Bäckerjunge auf dem Rade trudelt über den Platz, bremst, springt ab und gafft. Eine alte Frau, die zur Frühmesse will, bleibt erschrocken stehen und guckt. Ein Milchmann mit seinem Hundewägelchen hält an und stellt sich breitbeinig auf. Langsam erwacht die Stadt, und alles, was über den Platz kommt, gesellt sich zu der Gruppe, die fassungslos an dem Denkmal emporstarrt. Das flüstert und kichert und feixt und gluckst und hält sich die Hand vor den Mund, sieht sich scheu um, gafft abermals und will schier ersticken am unterdrückten Lachen.

Was ist geschehen?

Am Denkmal ist etwas geschehen. Es ist von unberufener Hand wirksam, aber nicht zu seinem Vorteil verändert worden.

Nicht, daß man etwas zerstört, eine lebenswichtige

Zier meuchlings abgebrochen hätte. Schlimmeres: Man hat etwas hinzugefügt. Vor das eherne Antlitz des Landesherrn ist ein Maulkorb geschnallt, ein richtiggehender, großer, lederner Maulkorb.

Gelbe Frühsonne liegt wie Scheinwerferlicht auf dem Standbild und beleuchtet rücksichtslos das ernste, kluge Gesicht, das stolz in die Weite blickt und ob des seltsamen Schmuckes keine Miene verzieht.

Immer neue Menschen kommen, starren und staunen, schämen sich und wollen wegblicken und schauen wieder hin. Ein fürsorglicher Vater will seinen Kindern die Augen zuhalten und ihnen den Anblick ersparen, hat aber nur zwei Hände; er will in eine Seitengasse biegen, die Buben biegen nicht mit und sind in der gaffenden Menge verschwunden.

Als hinreichend Leute da sind, erscheint der übliche Schutzmann. Er kommt gemessenen Schrittes; ein laufender Schutzmann verliert an Würde. Die Menge weicht respektvoll auseinander. Einige Patrioten verdrücken sich; sie fürchten, durch das Anschauen mitschuldig zu werden.

Der Schutzmann reibt sich die Augen. Das Gesicht bleibt ihm stehen. Seine Schnurrbartspitzen zittern.

Wird er das Ärgernis entfernen, den Fall kurzerhand erledigen? — Er tut es mitnichten; er fühlt sich nicht berufen, das ist nicht seines Amtes. Außerdem ist der Fall in der Dienstanweisung nicht vorgesehen. Er umschreitet das Denkmal und stellt den Tatbestand fest. Schreibt in sein Buch und geht.

Die Menge wächst. Es erweist sich als überaus praktisch, daß man das Denkmal mitten auf dem Platz errichtet hat. So ist Raum für alle.

Der Schutzmann kommt mit einem Kollegen zurück. Er hat sich Verstärkung geholt. Es ist zuviel für einen. Sie dampfen beide vor Entrüstung. Vier Schnurrbartspitzen zittern. Werden sie jetzt das Ärgernis entfernen?

Keineswegs. Das ist nicht ihres Amtes. Sie stellen gemeinsam den Tatbestand fest, schreiben in ihre Bücher und spalten sich. Der eine geht und holt weiteren Nachschub. Der andere bleibt und wacht.

Die Menge wächst weiter. Es hat sich rundgesprochen. Der Marktplatz ist schwarz. Alle Fenster sind offen und voller Köpfe, und an den Laternenpfählen hängen Trauben von großen und kleinen Kindern.

Dann kommt ein Wagen mit viel Gebimmel und viel Polizei. Ein zweiter, ein dritter. Der Inhalt ergießt sich auf das Denkmal. Man hat gar nicht gewußt, daß es soviel Polizisten gibt, und ist stolz auf seine Vaterstadt.

An den Maulkorb hat man sich inzwischen gewöhnt. Jetzt interessiert die Polizei.

Das Denkmal ist bereits sachgemäß umstellt und abgesperrt; Leitern und Gerüste werden aufgeschlagen, wichtige Leute mit wichtigen Instrumenten sind an der Arbeit und untersuchen, messen, mikroskopieren und photographieren den bemaulkorbten Bronzekopf. Die Wissenschaft hat das Wort.

Die Menge wächst immer noch. Die ganze Stadt ist versammelt. Das Gedränge wird bedrohlich.

Weitergehen!

Die Menge ist gehorsam und setzt sich in kreisende Bewegung. Sie wird dadurch nicht weniger.

Achtung! Berittene Polizei sprengt heran und drängt die Menschen zurück. Die enttäuschte Menge johlt und weicht. Der Marktplatz wird gesäubert, der umliegende Stadtteil kunstgerecht abgeriegelt.

Die Polizei ist durchaus Herr der Lage.

Inzwischen spielt der Behördenapparat einer geordneten Staatsführung. Telephone klingeln, Telegraphen rattern, Boten hasten. Alle beteiligten Stellen sind aus ihrer Sonntagsruhe aufgescheucht und in höchste Alarmstufe versetzt:

Polizeiverwaltung,
Staatsanwaltschaft,
Kriminalinspektion,
Oberstaatsanwaltschaft,
Justizministerium,
Regierungspräsident,
Ministerium des Innern,
Hofmarschallamt.

Die Allerhöchste Stelle wird geschont. Um sie ist ein schallsicherer Schutzwall gelegt.

*

Scht! Der Herr Staatsanwalt schläft noch.

Frau von Treskow kommt auf Zehenspitzen die Treppe herunter und sagt es in der Küche. Die Billa soll leise sein und nicht mit dem Geschirr klappern. Auch Trude muß ihren siebzehnjährigen Übermut dämpfen, darf nicht trällern, nicht durchs Haus rufen, nicht über die Treppen stürmen. Pappi muß schlafen. Er hat gestern lange arbeiten müssen, der arme Papa.

Das Haus geht wie auf Samt.

Der Milchmann kommt. Jetzt wird August bellen. August denkt nicht daran. Er liegt wie ein Toter, hat alle Viere von sich gestreckt und schnarcht rauh und tief.

Frau von Treskow macht sich in der Garderobe zu tun. Der Mantel liegt auf dem Boden und ist zerknautscht, der Hut hat eine Beule. Es ist nicht nötig, daß die Billa es sieht. Auch Trude geht es nichts an.

Dann geht Frau Elisabeth in den Wintergarten, füttert ihre Aquarien und besorgt die Palmen. Trude ist um sie herum; nicht weil sie helfen will, sondern weil sie Hunger hat. Muß man wirklich mit dem Frühstück warten?

Man muß.

Das Telephon schrillt durch das Haus. Schon ist Billa am Apparat. „Bitte, wer ist da?"

Sie knickst und läuft die Treppe hinauf. „Gnädige Frau, der Herr Oberstaatsanwalt."

Frau Elisabeth ist schon da und nimmt den Hörer. „Mein Mann? — Er ist eben zum Hause hinaus — — Wie bitte? — — Ich will sehen, vielleicht kann ich ihn noch — — Einen Augenblick bitte."

Sie huscht ins Schlafzimmer.

„Herbert!"

Antwort: Rrr—ch rrr—ch —

„Herbert, das Telephon!"

Rrr—ch rr—ch —

Sie schüttelt den Schläfer, zieht ihm das Kissen fort, wälzt ihn hin und her.

Ergebnis: Rrr—ch rr—ch —

Sie greift zum nassen Schwamm. Dem Träumer tut die Kühle gut, er kugelt sich auf die andere Seite und schläft erfrischt weiter.

Frau von Treskow ist der Verzweiflung nahe. „Herbert, der Oberstaatsanwalt", fleht sie.

„Oberstaatsanwalt" ist ein Stichwort. Der Mechanismus schnappt auf der Stelle ein. Treskow springt hoch, reißt wild die Augen auf, greift um sich und stolpert in den Flur ans Telephon. Hoffentlich sieht die Billa den Herrn Staatsanwalt nicht im Nachthemd.

„Verzeihung, Herr Oberstaatsanwalt ... o nein, ich war bereits ... Wie meinen? ... Danke, nur etwas erkältet ... Wie bitte? ... Ich verstehe Maulkorb? ... Wo? Am Denkmal? ... Aber das ist ja un-glaub-lich ... Jawohl, selbstverständlich ... Ich komme sofort."

„Sofort" ist zwar übertrieben. Aber ein toller Tanz geht los. Rasierwasser! Oberhemd! Schuhe! Rasierwasser!! Kragenknopf! Strümpfe! Rasierwasser!!! Billa fliegt, Trude fliegt. Elisabeth fliegt, das Rasierwasser fliegt. Schon sitzt er am Tisch, und während er mit der einen Hand den schwarzen Kaffee trinkt, mit der anderen sich den Kragen zuwürgt, mit der dritten den Schnurrbart bürstet, Elisabeth ihm die Weste knöpft, Trude seinen Nackenscheitel zieht, und Billa ihm die Schuhe anmurkst, erzählt er von dem geschändeten Denkmal.

Billa sagt: „O Gott."

Trude kichert und findet es wahnsinnig komisch. Elisabeth nennt es eine Geschmacklosigkeit und muß leise lächeln.

Treskow aber ist obenauf und brabbelt während des Ankleidefrühstücks: „Eine dolle Sache — au, nicht so fest! — wenn ich die Bearbeitung kriege, der Ober hat so was angedeutet — wo ist denn die Butter? — also, das wäre geradezu — geradezu — oh, mein Kopf — — ist doch mal was anderes als der ewige Quatsch, Diebstahl, Betrug, und wenn's hoch kommt, ein bißchen Totschlag — nein, ohne Honig — also, wenn ich das kriege, verdammt noch mal, das ist Politik, Sensation, geht durch die Zeitungen, geht nach oben, nach ganz oben!" Er strampelt vor Freude mit Armen und Beinen und platzt vor Tatendrang und kann es nicht erwarten.

Merkwürdig übrigens, ihm ist, als habe er in der Nacht irgend etwas geträumt von einem Denkmal oder einem Maulkorb, er weiß nicht recht, streicht sich über die schmerzende Stirn. Natürlich Zufall, vielleicht auch Einbildung. Er glaubt nicht an Träume; aber er nimmt es als gutes Omen.

Auf der Treppe bindet er, noch auf beiden Backen kauend, die Krawatte und kontrolliert seine Knöpfe. Wenige Minuten später ist er am Tatort.

*

Auf der Weinterrasse bei Tigges am Treppchen, von der man das maulkorbbehaftete Denkmal und den abgesperrten Rathausplatz überblickt, sind die Spitzen der Behörden versammelt; sie erörtern die strategische Lage, empfangen Berichte und erteilen Befehle. Feldherrnhügel.

Die ersten Maßnahmen sind getroffen, die kriminalwissenschaftliche Untersuchung des Denkmals ist beendet. Man hat lange gezögert und geprüft, ob nichts versäumt ist; dann hat man schließlich den Maulkorb mit Zangen und Pinzetten behutsam von seinem Allerhöchsten Standort abgenommen und in einem feierlichen Etui herbeigebracht. Die Herren drängten sich herum und betrachteten ihn mit scheuer Ehrfurcht. Es ist nichts daran zu sehen. Es ist ein ganz gewöhnlicher, harmloser, guterhaltener Hundemaulkorb. Die einen nicken, die anderen schütteln den Kopf; sie seufzen ja-ja, sie murmeln nein-nein. Unglaublich!

Am Fuße des Denkmals hat ein junger hoffnungsvoller Beamter einen abgerissenen Mantelknopf gefunden. Er wird herumgereicht, geprüft und bewundert; aber es ist ein Knopf wie alle andern. Und trotzdem vielleicht ein unschätzbares Beweisstück. Es wird den Akten einverleibt.

Von Maulkorb und Mantelknopf ausgehend wird man den Riesenapparat neuzeitlicher Kriminalistik in Bewegung setzen. Die ungewöhnliche Tat erheischt ungewöhnliche Tätigkeit. Das ist man seinem Vaterland schuldig. Außerdem macht es einen guten Eindruck. Sie stehen mit eisernen, undurchdringlichen Gesichtern, die Herren von der Polizei, von der Regierung, von der Staatsanwaltschaft. Man kann nicht sehen, was sie für Gedanken haben. Vielleicht haben sie alle den gleichen, aber keiner wagt, ihn auch nur zu denken.

Als Staatsanwalt von Treskow kommt, wenden sich alle Köpfe zu ihm hin. Er fühlt, man hat auf ihn gewartet.

Der Oberstaatsanwalt reicht ihm die Hand. „Gut, daß Sie kommen, Herr Kollege. Ich habe mich entschlossen, die Bearbeitung des Falles Ihnen zu übertragen. Ich tue es in der Überzeugung, daß er gerade bei Ihnen in ausgezeichneten Händen liegt. Regierung und Hofmarschallamt legen auf die schnelle Ermittlung des Täters den allergrößten Wert. Wenn Sie es schaffen, mein lieber Treskow, werde ich nicht verfehlen, an allerhöchster Stelle —"

Treskow hört die bedeutungsvollen Worte seines Vorgesetzten wie aus weiter Ferne. Er ist noch nicht ganz bei sich; bei jeder Bewegung schmerzt ihm der Kopf, und der Marktplatz schwankt leise. Aber er weiß, worum es geht. Die Augen der Welt sind auf ihn gerichtet.

In den Straßen werden bereits die Extrablätter ausgerufen.

*

Treskow hat nach Hause telephoniert, Frau Elisabeth hat mit Trude darüber gesprochen, Billa hat es aufgeschnappt und nebenan erzählt, nun wissen es alle und sind stolz auf ihren Staatsanwalt und seine

Mission. Es ist kein Amtsgeheimnis, morgen wird es in der Zeitung stehen: Die Ermittlungen liegen in den bewährten Händen des Staatsanwalts von Treskow.

Trotzdem war er nicht restlos glücklich. Er ging steil und vorsichtig umher und durfte den Kopf nicht bewegen; sein Gehirn schien zu klein geworden und ballerte schmerzhaft in der Knochenschale, und jedes Haar tat ihm einzeln weh. Ein Glück, daß sie nicht zu üppig wucherten; dafür waren sie hart und blondgelb und säuberlich parallel gelegt, ein getreues Abbild seines geordneten Innern.

Was war gestern? Wann war er heimgekommen? Oder hatte man ihn gebracht? Er wußte nichts vom Ende des Abends, es war Traum und Nebel. Er schämte sich. Er hätte um zehn gehen sollen, anstatt sich mit diesen liederlichen Kumpanen herumzufechten und ein Wettsaufen zu veranstalten.

Jetzt hatte er glühendes Blei im Kopf und nicht einmal Zeit zu guten Vorsätzen und heilsamen Betrachtungen. Er riß sich zusammen, hielt sich mit Kaffee und Hühnerbouillon in Gang und ging mit verbissener Energie an seine bedeutungsvolle Arbeit.

Sie fing gleich mit Ärger an.

Dieser Kriminalkommissar Mühsam muß immer etwas Besonderes haben. Er will an der Maulkorbsache seinen neuen Polizeihund ausprobieren, sie sei wie geschaffen für ihn, und außerdem hat das Tier inklusive Stammbaum fünfhundert Mark gekostet. Und wenn es nichts wird, ist weiter nichts verloren. Treskow sieht das gewissermaßen ein, aber er ist beleidigt, daß er nicht selbst auf den Gedanken gekommen ist. Natürlich läßt man sich nichts merken. „Wenn die Herren von der Kriminalpolizei auf Hundenasen bauen, ich meinerseits halte mehr vom Menschengehirn."

Ging auf sein Büro und quälte seinen Kopf.

Inzwischen wird Sedan, der preisgekrönte Airedale, in Betrieb gesetzt. Man gibt ihm Maulkorb und Denkmal zu riechen; er beschnüffelte es von allen Seiten ausgiebig und pflichtgemäß und tut wichtig, sein Stummelschwänzchen zittert vor Eifer. Dann umkreist er das Denkmal, die Nase zwei Millimeter über dem Boden. Alles hält den Atem an. Wird es, wird es nicht? Plötzlich bleibt Sedan stehen, läuft zurück, schnuppert kreuz und quer und im Kreise, nimmt eine Fährte auf und schießt davon. Kriminalpolizei und Zuschauer hinterdrein. Mühsam glänzt. Es wird!

Aber es ist eine merkwürdige Fährte, die das Tier verfolgt. Sie geht in breitem Zickzack von der einen Straßenseite auf die andere, umkreist einen Laternenpfahl, macht an einem Baum unmotivierten Halt und windet sich in seltsamen Kurven und Schleifen. Mühsam ist blaß vor Lampenfieber. Die Leute grinsen. Ist das Biest besoffen?

Sedan läßt sich nicht beirren. Er weiß, was er seiner Stellung und seinem Stammbaum schuldig ist. Er schlängelt sich durch die Poststraße, biegt unerwartet in die Luisenallee ein und schießt zielstrebig auf das Haus Nummer 23 los. Er scheint seiner Sache sicher;

in der Haustür bleibt er breitbeinig und wie aus Erz gegossen stehen, blickt freudig an der Haustür empor und erwartet seine wohlverdiente, würstliche Belohnung. Ein blitzblankes Messingschild verkündet in gravierten Buchstaben:

Herbert von Treskow
Staatsanwalt

*

Derweil saß Treskow und arbeitete an seinem Feldzugsplan.

Der geräumige Schreibtisch und die beiden Aktenböcke waren leer geräumt. Sein Dezernat war unter die Kollegen aufgeteilt, er war Maulkorb-Sonderdezernent, und auf der weiten, blanken Tischplatte lag einsam und anspruchsvoll das schicksalschwere Aktenstück.

Gegen: Unbekannt.

Wegen: Majestätsbeleidigung.

Das „Unbekannt" war vorsichtshalber mit Bleistift geschrieben; er hoffte, daß hier bald ein fetter Name prangen würde. Um das Aktenstück lag die Kartonmappe, die um alle Aktenstücke gelegt wird und durch ihre Farbe den Grad ihrer Eile bezeichnet. Die Staatsanwaltschaft ist die Kavallerie der Justiz, bei ihr sind alle Sachen eilig. Dennoch gibt es genau gestufte Unterschiede: Blaumappen, die normalen Sachen, dürfen bis zu einer Woche liegen. Rotmappen, das sind die Haftsachen, höchstens drei

Tage; ein Untersuchungsgefangener soll keinen Tag länger als nötig seiner Freiheit beraubt sein; darin war man sehr penibel. Grünmappen freilich sind noch eiliger und innerhalb vierundzwanzig Stunden zu erledigen; außerdem sind sie mit Angstschweiß und Herzklopfen verbunden, denn bei ihnen handelt es sich um Bericht an vorgesetzte Behörde. Die Maulkorb-Akte hat eine Gelbmappe. Die Farbe schreit und soll schreien; Gelb bedeutet „sofort". Gelb darf überhaupt nicht liegen, muß ununterbrochen in Arbeit bleiben.

Sie war bei Treskow trefflich aufgehoben.

Wegen des Polizeihundes allerdings saß ihm eine geheime Angst im Nacken. Er glaubte nicht an solchen Zinnober, aber will's der Himmel, hat solch eine Kreatur Dusel und frißt ihm die Lorbeeren vor der Nase weg.

Als ihm gegen zehn der Bericht von Sedans Heldentat überbracht wurde und von der herrlichen Blamage, die sich Mühsam mit seinem Köter zugezogen hatte, brach er in ein schallendes Triumphgelächter aus, in das die anderen pflichtgemäß einstimmten. Die Staatsanwaltschaft hatte ihre Überlegenheit bewiesen. Dann aber wurde Treskow ernst und hatte Mitleid mit dem betröpfelten Kriminalkommissar. „Mein lieber Mühsam, ich will nicht ironisch sein und Ihnen zum Lacherfolg ihres tüchtigen Hundes gratulieren; das überlasse ich Ihren Kollegen. Ihr Sedan hat es sicher gut gemeint und sich alle Mühe gegeben; aber es ist ein unvernünftiges Tier, und Sie selbst können schließlich nichts dazu. Und was mich persönlich anbetrifft, so habe ich einen gesunden Sinn für Humor. Immerhin soll uns der Fall Sedan eine Lehre sein. Stellen Sie sich vor, das Tier wäre bei jemandem gelandet, der als Täter ernstlich in Frage kommen könnte, — man bekommt eine Gänsehaut, wenn man bedenkt, welches Unheil ein sogenannter Polizeihund anrichten kann. Ich werde in der Kriminalistischen Wochenschau demnächst darüber schreiben."

Im Anschluß daran entwickelte Treskow seinen sauber erdachten Plan, einen Plan ohne Hund und mit Hirn:

Das corpus delicti ist ein gebrauchter Maulkorb. Somit ist der Täter — mit hoher Wahrscheinlichkeit — Besitzer eines großen Hundes. Die Zahl der Großhundbesitzer ist nicht erheblich, die polizeiliche Liste darüber liegt bereits vor. Bei diesen Hundebesitzern haben die Ermittlungen einzusetzen. Erstens: Können sie ihren Maulkorb vorweisen? Zweitens: Fehlt an ihrem Mantel der gefundene Knopf? Drittens: Wo waren sie in der vergangenen Nacht?

Diese Feststellungen müssen schlagartig, durch sofortige Haussuchung erfolgen. Haussuchung ist Einbruch der Staatsgewalt in das innerste Privatleben und für beide Teile unerquicklich. Für die Beamten ist es keine reine Freude, in fremder Leute Kisten und Kasten und Schränken herumzustöbern und sich die feindseligen Gesichter anzusehen; es hat für sie auch keineswegs den Reiz der Neuheit. Bei den Leidtragenden ist es umgekehrt, sie haben das noch nie gehabt und wissen nicht, wie man sich dabei zu verhalten hat. Im Knigge steht nichts darüber. Ist man muffig und widerspenstig, macht man sich verdächtig. Tut man nett und zuvorkommend und spendet Zigarren und Kognak, ist man erst recht verdächtig. Am besten ist man nicht zu Hause.

Staatsanwalt von Treskow läßt es sich nicht nehmen, die Expedition persönlich zu leiten. Er führt den Trupp mit bemerkenswertem Schneid und greift durch, ohne Ansehen der Person. Es befinden sich hochmögende Leute auf der Liste, und sie haben nicht alle das rechte Verständnis für die traurige Pflicht eines Staatsorgans. Kommerzienrat Poensgen hat keine Zeit für solche Scherze, knallt die Tür und überläßt die Angelegenheit seinem Privatsekretär. Der uralte Professor Aschenbach glaubt, sein Bernhardiner habe sich schlecht benommen, und will durchaus fünf Mark für das Protokoll bezahlen. Apotheker Lux bekommt einen Wutanfall und telephoniert Beschwerden an den Oberbürgermeister und den Reiter- und Rennverein und alarmiert seinen Anwalt. Bei der Familie Hamacher schlägt das böse Gewissen; der älteste Sohn ist plötzlich verschwunden, und die Uhr läge unten im Kleiderschrank. Beim Fischhändler de Potter gibt es Krawall; Worte und Fische fliegen den Beamten um die Ohren. All dies kann dem tapferen Staatsanwalt nicht imponieren. Er geht seinen Weg.

Leider ist der Erfolg nicht auf der Höhe des Kraftaufwandes. Sie haben alle ihren Maulkorb, nirgends fehlt der gefundene Knopf, und auch das Alibi ist überall in Ordnung. Nicht immer ohne Zwischenfall und peinliche Explikationen. Es gibt Leute, die ihren nächtlichen Aufenthalt als Privatsache betrachten und es versäumen, darüber Buch und Quittung zu führen. Sie wurden belehrt.

Die Liste ist heruntergearbeitet. Treskows Hoffnung ist mit jedem Namen ein Treppchen tiefer gerutscht und auf Null angelangt. Nur noch ein einziger Name steht offen: Sein eigener.

Treskow macht einen faulen Witz: Eigentlich müßte man jetzt zu ihm gehen.

Man soll keine faulen Witze machen. Die Beamten lächeln verlegen, aber der Assistent Schibulski nimmt es für bare Münze oder tut wenigstens so. Und wenn man es richtig überlegt: Man ist überall gewesen und hat keine Ausnahme gemacht, nicht einmal beim Herrn Regierungspräsidenten. Vielleicht hätte Treskow besser getan, von vorneherein die Namen zu streichen, die außerhalb jeden Verdachtes standen. Da es nicht geschehen ist — und es ist sicher gut so und wird auf die Bevölkerung einen vorzüglichen Eindruck machen — muß man konsequent sein und darf sich selbst nicht ausschließen. Es würde auch in den Akten dumm aussehen.

Lächelnd zieht Treskow mit dem Troß in sein Haus. Im Grunde genommen ein Ulk: Ein Staatsanwalt, der bei sich selbst haussucht.

Es soll kein Ulk sein, sondern die Erfüllung einer Form. Treskow ist ein guter Jurist, ihm kommen Zweifel, ob ein Staatsanwalt gegen sich selbst eine

Untersuchungshandlung vornehmen kann. Vorsorglich überträgt er das Kommando dem rangältesten Kriminalbeamten; er selbst ist nur noch Hausherr und Hundebesitzer.

„Meine Herren ich kenne den Zweck Ihres Kommens. Bitte, treten Sie näher. Also hier — Maul halten, August! — hier ist mein Hund, und hier — und hier —" Er greift an den gewohnten Haken und faßt ins Leere.

„Sybilla, wo ist der Maulkorb?"

Billa, von so viel Uniform begeistert, tänzelt herbei. „Der muß am Haken sein."

„Was heißt, ‚muß'? Er tut es nicht. — Trude, hast du vielleicht unseren Maulkorb verschmissen?"

Trude zieht ein Fischmäulchen. „Der hat gestern noch da gehangen."

„Ich will nicht wissen, was er hat, sondern wo er ist. — Elisabeth, erinnerst du dich vielleicht, wer zuletzt den Maulkorb hatte?"

Frau von Treskow sieht ihren Mann erstaunt an. Billa will etwas sagen, Trude will etwas sagen, aber Frau von Treskow kommt ihnen zuvor: „Herbert, willst du nicht erklären, was das bedeutet? Vielleicht nehmen die Herren solange Platz."

Dazu hat man keine Zeit. Dazu ist man nicht gekommen. Der Maulkorb muß zur Stelle. Man sucht überall, wo er sein könnte: am Mantelhaken, im Schirmständer, auf dem Garderobetisch, und wo er nicht sein könnte: im Nähkörbchen, in der Bestecksschublade, im Eisschrank. Alle helfen suchen und geben sich rührende Mühe, der Staatsanwalt, die Beamten,

Trude und Billa. Sogar August, durch das Umherlaufen angeregt, trottet wichtig hinterdrein und schnuppert mit.

Der Maulkorb muß doch irgendwo sein!

Die Logik ist unanfechtbar. Aber der Maulkorb ist anderer Ansicht. Er ist nicht da.

Die Billa hat einen roten Kopf bekommen, Trude beteuert ihre Unschuld, Frau von Treskow bewahrt Haltung; aber es hilft alles nichts.

Die Beamten tauschen heimliche Blicke. Schibulski hat die Unverschämtheit, mit einem Mundwinkel zu grinsen. Treskow fühlt, hier ist eine Situation, die nur mit Schwung und Humor zu retten ist. „Meine Herren", sagt er mit künstlich heller Tenorstimme, „meine Herren, ich muß zugeben, mein Maulkorb ist im Augenblick nicht ganz greifbar. Jetzt fehlt nur noch, daß an meinem Mantel der gefundene Knopf fehlt —", er lacht gezwungen, — „dann bleibt mir nichts anderes übrig, als mich selbst zu verhaften und abzuführen. — Elisabeth, du hast wohl die Freundlichkeit und zeigst den Herren meinen Paletot."

Frau von Treskow rührt sich nicht.

„Wenn du nicht willst, dann muß ich schon selber —"

Elisabeth ist ihm zuvorgekommen, hat den Mantel vom Haken genommen und zusammengeknautscht und tritt vor die Beamten. „Meine Herren, ich glaube, es ist nun genug. Wenn Sie aus der Sache eine Komödie machen wollen, dann bitte an einem anderen Ort. Sie befinden sich hier im Hause des Staatsanwalts von Treskow. Sollten Sie das in Ihrem Übereifer vergessen haben, so ist es an der Zeit, daß ich Sie daran erinnere. — Herbert, ich glaube, die Herren möchten jetzt gehen."

Das stimmt zwar nicht ganz, aber da sie es sagt, wird es wahr. Die Beamten kommen sich plötzlich sehr überflüssig und albern vor. Auch Treskow kann sich dieser Einsicht nicht länger verschließen. Er hätte gerne noch den Mantelknopf vorgezeigt, aber freut sich doch, der höheren Gewalt zu weichen, und zieht mit seinem Troß von dannen.

Als sie fort sind, nimmt Frau von Treskow den Mantel mit in ihr Zimmer und ersetzt den fehlenden Knopf durch einen passenden neuen. Denn sie ist eine gewissenhafte Hausfrau.

Schibulski, der das Protokoll zu führen hatte, schrieb alles säuberlich in die Akten. Denn er war ein gewissenhafter Beamter.

*

Die Ritterstraße war einmal die vornehmste Straße der Stadt. Das ist lange vorbei. Die Ritter sind ausgestorben, und wenn man heute durch eine der dunklen Torwölbungen geht, riecht es bestenfalls nach Bäckerei oder Sattler, im Seitenbau sägt und flötet ein Schreiner, und hinter dem holprigen Hof wuchert ein Gärtchen, das jedem und keinem gehört und von Staren und Spatzen bevölkert wird. Ganz am Ende, wo niemand mehr hinkommt, versteckt sich unter Gestrüpp und Ranken ein verwunschenes Gartenhaus. Sofern man die schmale Tür findet, die Tag und Nacht unverschlossen bleibt, liest man daran den Namen: Rabanus.

Einen Vornamen schien der Mann nicht zu haben. Vielleicht war es Bescheidenheit, vielleicht auch Größenwahn oder beides. Bei Leuten dieser Art fließt das ineinander.

Mit seinem Beruf war es ähnlich. Man kam nicht recht dahinter, ob er überhaupt einen hatte oder gar mehrere. In dem großen, verglasten Raum stand zunächst ein breiter Diwan, der tags zum Rauchen, nachts zum Schlafen diente und keinerlei Schluß auf einen Beruf zuließ. Ebensowenig tat es der alte Kanonenofen, der mit drohend erhobener Pfeife in der Mitte des Raumes stand und im Sommer den Eisschrank machte. Eine in Betrieb befindliche Staffelei mit einem Stoß fertiger und angefangener Ölbilder und Skizzen deutete auf ernsthafte Malerei und sorgte für einen sympathischen Terpentingeruch.

An der gegenüberliegenden Seite stand ein betagter gradseitiger Bechsteinflügel, schmal und lang wie eine Kegelbahn, der offenbar musikalischen Zwecken gewidmet war und sich gleichzeitig als Tisch und Bücherbrett nützlich machte. An der rechten Wand breitete sich ein großmächtiges Stehpult aus, mit Stößen von beschriebenen und unbeschriebenen Papieren, die einen verdächtig literarischen Eindruck machten. Die massiven Holzdielen waren mit weißem Sand bestreut und für einen solch vielseitigen Mann überraschend sauber. Dafür waren die gekalkten Wände über und über mit Kohlezeichnungen bemalt, die nicht sämtlich für die Öffentlichkeit geeignet schienen, und ein Teil der Scheiben trug kühne Glasmalereien, insbesondere an der Seite, wo der Diwan stand; dadurch bekam diese Ecke etwas Andächtiges, fast Kirchliches und war den Blicken der Nachbarschaft entzogen, die im übrigen ungehindert in den Lebensraum des seltsamen Mannes einsehen konnte und reichlichen Gebrauch davon machte.

Rabanus wohnte noch nicht lange hier. Wohnen ist übrigens zuviel gesagt. Er hauste: schlief, wenn er keine Lust zum Arbeiten hatte, arbeitete, wenn er ausgeschlafen war, und kümmerte sich einen Dreck um die bürgerlichen und astronomischen Tages- und Nachtzeiten; empfing Freunde, wenn es ihm paßte, und schmiß sie wieder hinaus, wenn er sie leid war.

An diesem Sonntagnachmittag ging Rabanus keineswegs spazieren, wie es einem gesitteten Bürger ansteht, weder am Rhein entlang noch in den Aaper Wald. Er war zu Hause und hatte Besuch.

Ria hieß eigentlich Mariechen Prümper und war einzige Tochter einer gutbeschäftigten Kranzschleifendruckerei. Seit zwanzig Jahren zerbrach die Bastionstraße sich den Kopf, wie diese Carmen mit dem geradegeschnittenen Gemmenprofil, der olivtönigen Haut und dem blauschwarzen Haar in die beiderseits niederrheinische Familie geraten sein mochte. Mariechen Prümper war stolz auf dieses Rätsel und machte aus der Verlegenheit eine Tugend. Sie trug das nachtschwarze Haar in tiefem Scheitel, steckte nach Bedarf Mohnblumen hinein und tat wie ein

Stück Südsee. Man nannte sie Ria die Janeira, und so sah sie auch aus. Sobald sie allerdings den feingeschwungenen Mund auftat und ihr Hochdeutsch mit niederrheinischen Streifen von sich gab — Lieblingsthema: Mich tut der Rücke so weh — zerrann die Illusion.

Auch sonst war sie weder mit Temperament noch anderen Geistesgaben überanstrengt. Wer so aussieht, hat das nicht nötig. Eben das wollte Rabanus malen.

Ria hatte sich das etwas anders vorgestellt. Sie war bereit, der Kunst jedes Opfer zu bringen. Aber sie vermochte nicht einzusehen, wieso ein Maler, der eine Dame zum Malen bestellt, sie auch tatsächlich malen will. Nachdem sie sich damit abgefunden hatte, ging es ihr nicht in den Kopf, daß er es nur auf ihr Gesicht abgesehen hatte, wo sie doch auch im übrigen ganz gut geraten war.

Nun saß sie glücklich auf dem Modellschemel, blickte mit der ihr anbefohlenen Verträumtheit auf den an der Wand markierten Punkt und versuchte, die Prozedur durch ein munteres Gespräch zu würzen.

„Trinke mer denn keine Kaffe?"

„Nein."

„Warum denn nit?"

„Kopf mehr nach rechts."

„Och."

Nach fünf Minuten: „Mich tut der Rücke so weh."

„Ist mir bekannt."

„Können Se Klavier?"

„Nicht sprechen."

„Warum denn nit?"

„Kind, du bist ja so schön — solange du den Schnabel hältst."

„Dat sagen se all."

Rabanus duzt, wen er malt. Man braucht sich darauf nichts einzubilden. Er tut es aus Sachlichkeit. Für ihn wird jedes Modell Gegenstand, und jeder Gegenstand Modell. Gerade als er den silbernen Reflex in das meertiefe Tropenauge setzte, begann sie von neuem:

„Wissen Se dat schon vom Denkmal?"

„Ja."

„Sind Se auch heut morjen kucken jejangen?"

„Nein."

„Warum denn nit?"

„Ich habe das schon in der Nacht gesehen."

„Dat können Se mich weismachen."

„Ich kam gerade vorüber."

„Und da war der Maulkorb schon dran?"

„Nein, er wurde eben festgemacht."

„Mein Jott, und da waren Se noch nit auf der Polizei?"

„Die Polizei interessiert mich nicht, und wenn sie aus dem Quatsch eine Haupt- und Staatsaktion machen will, dann soll sie sich blamieren, so gut sie kann. — Und jetzt mal stillgehalten."

„Wenn Sie der Zeuje machen, dann kommen Se in de Zeitung."

„Ruhe!"

„Da können Se berühmt mit werden, mehr als mit die Bilders."

„Verflucht noch mal! Wenn du jetzt nicht die Klappe hältst, dann kann es dir passieren, daß wir doch noch Kaffee trinken, oder wie du das nennst."

*

Es war bereits Montag nachmittag. Staatsanwalt von Treskow bebrütet pflichtgemäß sein Aktenstück. Er brütet nicht im Sitzen, sondern marschiert mit langen, harten Schritten in seinem Büro hin und her und wartet auf den schöpferischen Einfall. Was man nicht im Kopf hat, muß man in den Beinen haben. Der unter ihm sitzende Landgerichtsrat hat sich schon beschwert und ein anderes Zimmer bezogen.

Treskow stand gewissermaßen an seiner Majorsecke. Der Maulkorb würde darüber entscheiden, ob er die viel prophezeite Karriere machen, oder lebenslänglich als simpler Staatsanwaltschaftsrat nebenherlaufen würde. Vorläufig stand es faul um den Maulkorb. Die Haussuchung war ebenso lächerlich ausgelaufen wie Mühsams Hundefährte. Merkwürdige Duplizität der Lächerlichkeit! Ein Glück, daß Akten schweigen. Und die Fingerabdrücke am Denkmal hatten lediglich ergeben, daß der Täter Handschuhe trug. Offenbar ein gerissener Bursche.

Wohl war allerlei Geschwätz entstanden. Jemand hatte telephonisch den Namen eines angeblichen Augenzeugen genannt. Mühsam hat ihn geladen und wird ihn morgen früh vernehmen. Eine winzige Hoffnung, mehr nicht.

Es schlug sechs. Der Sekretär Regen steckte seinen verknitterten Kopf durch die Tür und schob, zum Zeichen der Arbeitsbeendigung, seine Brille mit den kugeligen Gläsern auf die Stirn.

„Ist noch etwas, Herr Staatsanwalt?"

„Nein. Leider nein."

Das große Gebäude starb allmählich aus. Türen schlugen nebenan und in der Ferne, Schlüssel schlossen, Schritte verhallten in den langen Gängen. Dann wurde es still. Treskow hörte die eigenen Atemzüge und das Ticken seiner Gedanken.

Eine sinnlose Beklemmung hatte sich ihm in den Nacken gesetzt und ließ nicht mehr locker. Immer wieder blieb er vor dem Asservatenschrank stehen und fand nicht den Entschluß. Schließlich riß er sich zusammen, schloß das Gefach auf und holte das Behältnis mit dem Maulkorb hervor.

Er legte das kostbare Stück vor sich hin, wendete es mit einer Pinzette von einer Seite auf die andere, betrachtete es von vorn und hinten, von oben und unten, in vollem und seitlichem Licht, mit bloßem Auge und scharfer Lupe: Es war ein Maulkorb wie alle andern, ohne Namen, Firma und Kennzeichen. Und doch war ihm plötzlich, als komme ihm das Ding irgendwie bekannt vor. Natürlich, er hatte es seit gestern mehrfach gesehen. Aber das war es nicht; der Maulkorb schien ihm eigentümlich vertraut, beinahe heimisch, und der Geruch erinnerte ihn an August. Vielleicht riechen alle Hunde gleich, wenigstens für Menschennasen, und es gibt auch kein wissenschaftliches Mittel, diese Gerüche zu klassifizieren. Vielleicht war es nur sein fieberndes Gehirn. Aber er kam von dem Gedanken nicht los: er konnte den Maulkorb mit nach Hause nehmen und mit seinem eigenen vergleichen. Hoffentlich hat der sich inzwischen gefunden.

Und nun sah er im Gegenlicht zwischen den Riemchen ein eingeklemmtes kurzes Haar. Für einen Kriminalisten sind die kleinsten Dinge die interessantesten. Er nahm das Haar vorsichtig zwischen die Pinzette und prüfte es auf heller und dunkler Unterlage. Es war blond. Bei Hunden nennt man es gelb.

Auch sein August war gelb.

Er fühlte, wie ihm das Herz stehen blieb und seine Hände kalt wurden. Wenn es sein eigener Maulkorb wäre!

Was wäre dann?

Dann wäre dreierlei: Erstens, er hätte auf dem betrüblichen Nachhauseweg den Maulkorb verloren, und jener vaterlandslose Geselle hätte ihn, den staatsanwaltlichen Maulkorb, gefunden und zu diesem heimtückischen Bubenstück mißbraucht. Zweitens: Er, der Staatsanwalt von Treskow, würde in öffentlicher Verhandlung als Zeuge vernommen und seinen beklagenswerten Zustand auf dem Nachhauseweg offenbaren müssen. Drittens: Als Zeuge könnte er nicht Sachbearbeiter bleiben und müßte die Weiterführung und den Ruhm einem Kollegen überlassen.

Bei diesem Gedanken knirschte er mit den Zähnen. Dann nahm er das gefundene, kostbare Hundehaar in einem Briefumschlag in Verwahr und schrieb darauf:

Asservat zu 3 J 447/09.

Inhalt: Ein Haar, dem am Denkmal vorgefundenen Maulkorb entnommen.

Tr.

Der Briefumschlag wurde den Akten einverleibt.

In seinem Kopf rauschte der Puls. Er legte das Aktenstück in seine Aktentasche, den Maulkorb in sein Behältnis und nahm beides mit nach Hause.

Nun hing alles an einem Haar.

An dem Haar, das er in der Sache gefunden hatte.

*

Auch zu Hause war die Stimmung etwas beschlagen.

Aber daran war nur die Trude schuld, weil sie wieder einmal vom Lyzeum einen Brief mitbekommen hatte. Frau Elisabeth war einiges gewöhnt, aber sie wunderte sich doch, als sie lesen mußte: Ihre Tochter Gertrud erhielt einen Eintrag ins Klassenbuch wegen grober Tierquälerei und Alkoholmißbrauchs

„Was hast du gemacht, Trude?"

„Nichts."

„Was ist mit der Tierquälerei?"

„Wir haben nur die Hühner gefüttert. Die Hühner von der Frau Direktorin."

„So. — Womit habt ihr sie gefüttert?"

„Mit Brot."

„Das ist doch keine Tierquälerei."

„Nein."

„Und was ist mit dem Alkoholmißbrauch?"

„Weiter nichts. — Das Brot hatten wir natürlich in Kognak getaucht."

„Und da schämst du dich nicht?"

„Doch, sehr. — Du, Mutti, das muß ich dir mal erzählen, du kugelst dich."

Frau von Treskow kam allerdings nicht dazu, sich zu kugeln, teils aus pädagogischen Gründen, teils weil die Haustür ging und der Papa nach Hause kam. Er sagte kein Wort und ging sogleich auf sein Zimmer. „Ich möchte nicht gestört werden." Das war das einzige, was er sagte.

Dann rief er August zu sich herein.

August war ein geduldiger und langmütiger Hund. Er hätte sich für seinen Herrn in Streifen schneiden lassen. Aber warum ihm jetzt ein Haar ausgerupft wurde, und ausgerechnet an der Schnauze, wo es besonders weh tut, das vermochte August nicht zu erkennen. Er beantwortete die Prozedur mit einem schmerzhaften Seufzer und verfolgte mit gespanntester Aufmerksamkeit das Kommende.

Treskow nahm das frisch gerupfte Haar und das am Maulkorb gefundene, ging damit dicht unter die Lampe und verglich. Aber seine Hände zitterten, die beiden Haare fielen zu Boden, auf den Teppich.

Das kostbare Beweisstück darf nicht verlorengehen. Treskow sucht und kriecht auf dem Boden herum. August sucht mit und schnuffelt, er hält es für ein neues Spiel. Treskow aber ist verzweifelt. Auf dem Boden liegen viele Haare; dafür sorgt August.

Es ist hoffnungslos.

Treskow sieht es endlich ein und schreibt auf den weißen Umschlag, der die Kostbarkeit enthalten hatte:

Asservat ging durch Ungeschicklichkeit des
Unterzeichneten verloren.   Tr.

Dann setzte er sich an den Abendtisch. Man hatte schon auf ihn gewartet. Er ist weiß wie ein Aktenbogen und rührt keinen Bissen an.

Niemand wagt zu sprechen. Man reicht den Aufschnitt, die Salatschüssel. Bitte. Danke. Man hört das leise Rauschen der Servietten, das schüchterne Klirren der Bestecke.

Man muß etwas sagen.

„Überarbeitet?"

Keine Antwort.

„Böse?"

Keine Antwort.

Quälendes Schweigen liegt über dem Tisch.

Treskow, plötzlich ganz laut und unvermittelt: „Ist unser Maulkorb gefunden?"

Nein.

Treskow legt die Serviette neben den Teller und steht auf, nimmt Elisabeth mit in sein Arbeitszimmer. Dort zeigt er ihr den mitgebrachten Maulkorb.

„Kennst du den?"

„Da ist er ja! Wo war er denn?"

„Weißt du genau, daß es unser Maulkorb ist?" fragt Treskow.

Elisabeth hört den fremden Klang seiner Stimme, sieht die Angst auf seinem Gesicht, entdeckt an dem

Maulkorb das Schildchen mit dem Aktenzeichen — und weiß, was sie zu tun hat.

„Einen Augenblick mal." Sie beugt sich über den Maulkorb, tut, als wenn sie genau untersucht, und sagt: „Nein, Herbert, das ist er ja gar nicht. Wie kommst du an das Ding?"

Treskows Gesicht lichtet sich. Aber er will sicher gehen und ruft Trude herein.

„Ist das unser Maulkorb?"

Trude ist ein helles Köpfchen und nicht nur zum Hühnerfüttern zu brauchen. Sie fühlt, daß hier etwas nicht stimmt, sieht die Mutter an, versteht ihr geheimes Augenspiel und sagt ganz beiläufig und unschuldig, wie sie es von der Schule kennt: „Das soll unser Maulkorb sein, das olle Ding? Das glaubt ihr doch selber nicht. An unserm war auch vorn das Riemchen ab. Nicht wahr, Mutti?"

„Das kann er auch gar nicht sein", schreit Treskow, bekommt augenblicklich wieder Farbe und geht in ein helles befreites Lachen über; „das kann er auch gar nicht sein! Ich wollte nur mal sehen, ob ihr darauf hereinfallt. Das hier ist doch der Maulkorb vom Denkmal!"

Er stelzt auf und ab und bleibt wieder stehen. „Morgen geht der Tanz weiter. Ein Zeuge ist bestellt, angeblich Augenzeuge. Ich werde ihn mir selber vorknöpfen. Bin mal gespannt, was dabei herauskommt. Auf jeden Fall, ich lasse nicht locker." Und mit plötzlich ausbrechender Wut: „Und das schwöre ich euch, wenn ich den Schweinehund erst beim Wickel habe

— und daß ich ihn kriege, darauf könnt ihr Gift nehmen — unter einem Jahr kommt der mir nicht davon!"

*

Als am nächsten Morgen der Briefträger zu Rabanus kam, fand er wie gewöhnlich das Gartenhaus unverschlossen und seinen Bewohner schlafend und legte die Post auf den Stuhl neben dem Diwan.

Rabanus wurde erst durch das robuste Hantieren der Putzfrau wach. Er empfand es als eine unerhörte Belästigung, daß er auf zehn Uhr zu einer polizeilichen Vernehmung geladen war. Am liebsten hätte er die Ladung in jene geräumige Truhe geschmettert, in der er all das versenkte, was ihm zu dumm war. Und das war sehr viel; die Truhe war fast voll davon. Aber dann entsann er sich, daß solche amtlichen Dinger, wenn man ihnen nicht den Gefallen tut, immer lästiger werden, so daß man schließlich als der Klügere nachgibt. Dann lieber gleich. Er stand auf — an die Putzfrau pflegte er sich dabei nicht zu stören — steckte draußen auf dem Hof gehörig Kopf und Oberkörper unter den Wasserkranen — gegen Vollbrausen war die Nachbarschaft erfolgreich eingeschritten — zog sich an und machte sich auf den Weg.

Als er an der Kranzschleifendruckerei Prümper vorbeiging, kam ihm der Verdacht, daß vielleicht die Ria ihm die Zeugenladung eingebrockt haben mochte. Das wollte er doch mal hören!

Er traf die Familie beim Frühstück. Es fand wie alle Mahlzeiten und sonstigen Begebenheiten in der

Küche statt. Sie war gleichzeitig Wohnzimmer und Büro. Aber nicht aus Armut oder Sparsamkeit. Das kam bei Prümpers nicht in Frage. Es war eine wohlberechnete Konzentrierung und hing mit der Struktur des Unternehmens zusammen. Ria, hier ganz Mariechen und ohne Mohn im Haar, besorgte die Küche und das Geschäftliche, und es war für sie eine große Erleichterung, daß sie mit der einen Hand das Sauerkraut rühren und mit der andern den Telephonhörer nehmen konnte, und daß ihr auch bei geschäftlichen Konferenzen die Milch nicht anbrannte. Was der Willi war, der bediente im Anbau die Handpresse. Der Vater aber ging mit gemütvollen Plüschpantoffeln durch sein Anwesen, freute sich seiner fleißigen Kinder, holte sich abwechselnd in der Küche eine Tasse Bouillon oder eine vorzeitige Bratenschnitte und erteilte dem Willi an der Presse weise Lehren. Übrigens war er das einzige Unternehmen am Platze, und durch den ständigen Umgang mit trauernden Hinterbliebenen hatte er sich einen beileidigen Tonfall zugelegt, der die Kundschaft zwar entzückte, aber seiner Autorität als Haushaltungsvorstand einigen Abbruch tat.

Als Rabanus hereinschneite, wurde er kurzerhand an den Tisch gequetscht und mußte frühstücken helfen. Das war bei Prümpers so üblich. Rohen Schinken oder gekochten? Schwartenmagen? Ein Eichen gefällig? Oder Pflaumenmus, hat Mariechen selber eingekocht. Vielleicht ein bißchen Holländer hinterher, oder ein Kotelettchen in die Pfanne?

Sie hielten ihn für einen der ewig hungrigen Maler, und er wollte ihnen die Freude nicht verderben, tat mit und brachte es nicht übers Herz, zu sagen, was er eigentlich wollte.

So kam es, daß sie seinen Besuch mißdeuteten. „Eh dat ich et verjeß", sagt plötzlich der Alte, „Sie wollen jewiß schon en bißken Jeld?" Und schloß die breite Kommode auf.

„Was soll ich mit dem Geld?"

Mariechen stieß ihn mahnend in die Seite, und auch der Willi redete ihm zu: „Sie müssen nit so schenant sein. Jeld is, was man immer brauchen kann. Wann is dat Bild dann fertig?"

Dadurch kam Rabanus hinter das Mißverständnis. „Ich will Ihnen doch kein Bild verkaufen; ich male Fräulein Ria zu meinem Vergnügen. Verstehen Sie das nicht?"

Nein, das verstanden sie nicht. Entweder malt ein Maler ein Modell, das ist zwar unanständig, aber nicht zu vermeiden, dann muß der Maler dafür bezahlen. Oder er malt eine Dame der Gesellschaft, dann bezahlt die Dame. Hier kam natürlich nur das letztere in Frage.

Rabanus brachte es nicht über sich, die guten Leute zu kränken oder gar ihr Mariechen in Verdacht zu bringen. Er wehrte sich nicht dagegen, daß man ihm zwanzig Mark in die Rocktasche stopfte, und mußte versprechen, recht bald wiederzukommen.

Inzwischen war es halb elf geworden.

•

Kriminalkommissar Mühsam hatte ohnehin schlechte Laune. „Sedan", bisher der Stolz seines Herrn und der Neid der Kollegen, war zum Spitznamen geworden. „Sedan Sedan", raunte es hinter Mühsam her, wenn er über die Flure ging; manche wisperten nur „S—s", dann verstand Mühsam schon und schnellte den roten Kopf nach hinten. Es blieb ihm nichts anderes übrig, als das Tier Hals über Kopf, noch ehe die Heldentat ruchbar wurde, an einen Magdeburger Kollegen zu verkaufen, als unerschrockenen Polizeihund und mit dreihundert Mark Verlust. Das tut weh.

Der einzige, der sich an der Hänselei nicht beteiligte, war der Assistent Schibulski. Seine Sticheleien gingen nach einer anderen Richtung. „Ich möchte nicht in Treskows Haut stecken." Und wenn man ihn fragte, wieso und warum: „Ich meine man bloß; vielleicht, weil er viel Arbeit hat; vielleicht, weil er noch allerhand Ärger bekommt. Man kann nie wissen."

Obgleich Rabanus dreiviertel Stunde zu spät kam, mußte er warten. Wahrscheinlich zur Strafe. Übrigens ließ Kriminalkommissar Mühsam seine Zeugen immer warten. Große Herren sind stark beschäftigt, ihre kostbare Arbeit ist in Minuten aufgeteilt; wenn sie sofort vorließen, könnte der Verdacht aufkommen, als hätten sie am Ende gar Zeit. Außerdem wirkt Warten erzieherisch. Durch Warten wird man klein und häßlich. Wer zwei Stunden gesessen hat, ist winzig wie eine Maus und Wachs in den Händen dessen, der warten läßt.

Rabanus hatte es nicht anders erwartet. Er vertrieb sich die Zeit und machte von den Beamten, die das Vorzimmer bevölkerten, eine Serie von Karikaturen. Es gelang nicht, und dann kam er dahinter, daß man von Karikaturen keine Karikaturen machen kann. Als sein Notizbuch voll war, stand er auf, schob einen sich entgegenstellenden Schreiberling beiseite, öffnete mit frevler Hand die verbotene Tür und stand vor dem Kriminalkommissar, der eben sein drittes Frühstück zu sich nahm.

Mühsam fühlte richtig, daß ein Einblick in diese menschliche Tätigkeit seiner Autorität schädlich war, und suchte sie auf andere Weise wiederherzustellen. Zunächst kaute er eine Zeitlang ruhig weiter, versuchte von dem Eingetretenen keine Notiz zu nehmen und ließ ihn an der Wand herumstehen. Dann stellte er Kaffeekännchen und Tasse unten in das Gefach seines Schreibtisches, strich das Pergamentpapier über der Tischkante gerade, faltete es sorgfältig zusammen und steckte es in die Brusttasche.

Sah den Besucher plötzlich mit Kugelaugen an und brüllte:

„Was wollen Sie?"

Der große Rabanus, sanft wie ein Kind: „Irrtum Ihrerseits. Ich will gar nichts. Wahrscheinlich wollen Sie etwas von mir."

„Wenn Sie geladen sind, haben Sie zu warten."

„Zweiter Irrtum. Nicht zum Warten bin ich geladen, sondern zur Vernehmung. Aber wenn ich störe, kann ich vielleicht demnächst bei Gelegenheit einmal wieder vorbeikommen, oder nach meiner Reise." Tat, als wolle er wieder gehen.

„Wissen Sie überhaupt was von der Sache?"

„Weiter nichts, — ich kam nur gerade vorbei, als jemand das machte."

„So—so—so, Sie haben den Täter gesehen? Warum sagen Sie das nicht gleich? Aber bitte, nehmen Sie doch Platz — nein, bitte den Sessel, wenn ich bitten darf. Würden Sie wohl die Liebenswürdigkeit haben, Ihre Beobachtungen — vielleicht Zigarre gefällig, oder Zigarette?"

Mühsam ist auf einmal die leibhaftige Liebenswürdigkeit. Jetzt hat er einen Augenzeugen und kann die Scharte „Sedan" auswetzen.

Rabanus tut seine Pflicht als Staatsbürger und erzählt: In der Nacht gegen halb drei sei er über den Marktplatz gekommen —

„Verzeihung, daß ich unterbreche. Was taten Sie so spät auf der Straße?"

„Herr Kommissar, wir wollen froh sein, daß ich so spät noch etwas tat. Sonst hätte ich keine Beobachtungen machen können."

„Ganz meine Meinung. Ich frage nur der Ordnung halber. Bitte, lassen Sie sich nicht ablenken."

Rabanus fährt fort: Er habe beobachtet, wie ein Herr über das Staket stieg und sich an dem Denkmal zu schaffen machte.

„Herr? Herr?? Sie meinen wohl Mannsperson? — Können Sie eine nähere Beschreibung geben?"

„Der Herr — die Mannsperson war ziemlich groß,

ungefähr wie ich, aber schmaler; elegant gekleidet, heller Sommermantel, steifer, grauer Hut –"

„Haben Sie sein Gesicht gesehen?"

„Ja, er kam dicht an mir vorbei. Schmales, energisches Gesicht, hellblond, englisch gestutzter Schnurrbart. Hinter ihm ein großer Hund."

„Ein großer Hund? Habe ich mir schon gedacht. Augenblick, bitte." Mühsam schreibt in die Akten, daß die Feder spritzt. „Wir sind Ihnen außerordentlich dankbar, Herr Rabanus. Sie werden in der Sache noch eine wichtige, vielleicht entscheidende Rolle spielen. Noch eine Frage: Würden Sie den Täter bei einer Gegenüberstellung wiedererkennen oder aus einer größeren Anzahl von Personen herausfinden?"

„Ich glaube, ja."

„Das ist großartig, ganz vorzüglich. Mein lieber Herr Rabanus, darf ich Sie wohl bitten, im Nebenzimmer einen Augenblick zu warten? Bitte, hier hinein, da sitzen Sie angenehmer."

Rabanus wird wie ein rohes Ei behandelt und in Watte gepackt. Zwei Unterbeamte sind abkommandiert; sie bemühen sich um ihn, schieben ihm einen Sessel in die Kniekehlen, besorgen ihm eine Zeitung, machen Konversation und helfen ihm warten. Nebenan in Mühsams Zimmer hört er hastiges Kommen und Gehen, Sprechen, Tuscheln, Telephonieren. Dann wird ihm eröffnet: Er möchte so liebenswürdig sein und zur Staatsanwaltschaft herüberkommen. Einer der Beamten wird ihm als Lotse mitgegeben.

•

Treskow schritt bereits in bebender Ungeduld auf und ab, setzte sich, sprang wieder hoch und konnte es nicht erwarten. Schade, daß Mühsam diese entscheidende Vernehmung schon begonnen hatte. Immerhin, die Hauptsache blieb noch zu tun. Die Konkurrenz zwischen zwei Behörden spornt zu Höchstleistungen an. Eine solche zu vollbringen, stand Treskow jetzt im Begriff.

Draußen Schritte. Es klopft.

„Herein. — Ah, Herr Rabanus? Nehmen Sie Platz. — Aber bitte, nehmen Sie doch Platz! Ich freue mich — Was ist los? Warum sehen Sie mich an? — Kennen wir uns? Wohl kaum."

Treskow weiß nicht, warum der Zeuge ihn anstarrt. Er befühlt heimlich Schlips und Schnurrbart und wird etwas befangen.

„Mein lieber Herr Rabanus — ich wollte von Ihnen persönlich noch einige Einzelheiten wissen — vor allem die genaue Beschreibung des Täters und so weiter — — Warum lachen Sie? Finden Sie die Sache so komisch? Bitte unterlassen Sie das. Traurig genug, daß nichtswürdige Bubenhände unsern Allergnädigsten Landesherrn — Also ich verbitte mir Ihr lächerliches Lachen, es ist geradezu unverschämt!" Der Staatsanwalt klopft drohend mit dem Bleistift auf den Tisch, während Rabanus vergeblich versucht, den für eine staatsanwaltliche Vernehmung üblichen Ernst auf die Beine zu bringen.

„Herr Staatsanwalt — — nehmen Sie es mir nicht übel, aber darauf war ich nicht gefaßt."

„Worauf waren Sie nicht gefaßt?"

„Erstens überhaupt. Und zweitens, daß ausgerechnet Sie selbst die Sache in Händen haben."

„Wer Sie vernimmt, das unterliegt nicht Ihrer Kritik, das bestimme ich."

„Bestimmen Sie? Das ist ja gerade das Famose. — Herr Staatsanwalt, wir sind unter uns und brauchen uns gegenseitig nichts weiszumachen. Beneiden tue ich Sie nicht um Ihre Situation; ich weiß auch nicht, wie Sie die Komödie verantworten können. Jedenfalls machen Sie es recht gut, und vielleicht ist es auch der einzige Weg, die verdammt peinliche Affäre unauffällig zu begraben."

Treskow sieht den Besucher lange und traurig an. Schade, jetzt hat man glücklich einen Augenzeugen, und nun ist er scheinbar etwas beschränkt. Bei Mühsam war er doch ganz manierlich. Vielleicht kommt man bei ihm mit Sanftheit weiter.

„Lieber Herr, Sie müssen etwas ruhiger sein. Darf ich Ihnen ein Glas Wasser anbieten? — Und wollen wir uns gemütlich unterhalten. Also, da kam dieser Mann zum Denkmal — und was hat er da gemacht?"

„Herr Staatsanwalt, was der da gemacht hat, das dürften Sie selbst doch am besten wissen", lächelt Rabanus.

„Natürlich, wir haben unsere Ermittlungen. Aber ich möchte es gern von Ihnen hören und protokollieren."

„Ich fürchte, Herr Staatsanwalt, Sie überspannen den Bogen. Fingern Sie die Sache, wie Sie wollen, das geht mich einen Dreck an. Aber mich lassen Sie gefälligst aus dem Spiel. Das beste ist, ich verschwinde jetzt und existiere nicht für Sie, und Sie nicht für mich."

„Sie bleiben!" donnert Treskow, „Sie haben hier Ihre Aussage zu machen!"

„Ist es nicht in Ihrem Interesse, wenn Sie etwas leiser sprechen? Und nun will ich Ihnen mal einiges sagen. Ich bin gewiß kein Spaßverderber, und ich kann mir zur Not auch vorstellen, daß man in nächtlicher Besoffenheit etwas anrichtet, was man am nächsten Tage nicht mehr wissen will, oder vielleicht auch wirklich nicht mehr weiß — — vielleicht wirklich nicht mehr weiß —" Rabanus stutzt plötzlich, tut einen tiefen Blick in das klare, offene Gesicht des Staatsanwalts und führt den Satz nicht zu Ende. Er ist wie verwandelt, setzt sich wieder und beginnt ruhig und bescheiden seine Erzählung:

Wie der Mann ausgesehen habe? Er entsinne sich noch genau: es war ein kleiner, untersetzter Mann mit Backenbart und Mütze, offenbar dem Arbeiterstande angehörig. Nein, ein Hund war nicht dabei.

Und ob er jetzt gehen könne?

Treskow hat alles mitgeschrieben. „Im Gegenteil, mein Lieber, nun fangen wir erst richtig an. Wer mich beschwindeln will, muß wenigstens ein gutes Gedächtnis haben. Sie vergessen, daß Sie vorhin bei der Polizei eine völlig andere Beschreibung des Täters zu Protokoll gegeben haben."

„Möglich."

„Welche von den beiden Beschreibungen ist nun die richtige?"

„Stelle anheim. Sie haben die Auswahl. Nehmen Sie die, die Sie am besten brauchen können. Ich empfehle die jetzige."

„Lassen Sie das. Jedenfalls geben Sie zu, daß Ihre Aussage sich widerspricht. Können Sie dafür eine Erklärung geben?"

„Nein."

„Dann will ich es tun: Sie hatten die Absicht, die Polizei auf falsche Fährte zu locken. Offenbar wollen Sie den Täter schützen. Sie, ich warne Sie! – Jetzt noch eine Frage." Treskow sieht den Zeugen mit der stählernen Schärfe seiner grauen Augen an. „Kennen Sie diesen Mann mit der Mütze? Ja oder Nein?"

„Nein, Herr Staatsanwalt. Den Mann mit der Mütze – den kenne ich nicht."

„Weiter: Warum haben Sie sich nicht selbst als Zeuge gemeldet, wie man das von einem anständigen Menschen erwartet?"

„Wenn ich ehrlich sein soll: Die Sache war mir zu dumm."

„Aber uns ist sie nicht zu dumm!"

„Das liegt an Ihrem Beruf."

Treskow steht auf und geht zum Fenster. Vor dem Gebäude hat man Asphalt gelegt, damit die Justiz ihre Ruhe hat. Auf dem Asphalt laufen die Kinder Rollschuh. Die Rollschuhe rasseln von früh bis spät. Treskow überlegt: Dieser Rabanus steht offenbar in enger Beziehung zum Täter, ist es womöglich selbst.

Durch eine voreilige Verhaftung würde man die Fäden zerschneiden und alles verderben. Besser, man stellt sich dumm — das ist immer klug — wiegt diesen Rabanus in Sicherheit und läßt ihn insgeheim überwachen. Zu gegebener Zeit kann man dann zuschnappen. Ein Staatsanwalt muß ein feines Köpfchen haben.

„Sie wohnen Ritterstraße 6?"

„Jawohl, Gartenhaus."

„Ausgezeichnet. Ich danke Ihnen für Ihre Bemühungen. Sie können jetzt gehen. Ich glaube nicht, daß wir Sie noch weiter nötig haben."

Als Rabanus kopfschüttelnd und leise vor sich hin lächelnd durch das staatsanwaltliche Vorzimmer hinausgehen wollte, traf er dort auf ein junges Mädchen, das seinem verwöhnten Auge angenehm auffiel. Das erste vernünftige Wesen in diesem Affenkasten, dachte er und sah das junge Ding lustig an. Sie sah ebenso lustig zurück.

„Nun, Fräulein, müssen Sie auch zu dem?"

„Mja."

„Mit dem kriegen Sie aber Freude. Das ist ein ganz Scharfer."

Die Kleine gluckst vor Vergnügen. „Finden Sie? Dann war es sicher wegen der Maulkorbsache?"

„Woher wissen Sie das?"

„Der tut doch nichts anderes."

„Der sollte lieber weniger wild sein. Mich hätte er am liebsten gleich verhaftet."

„Och?" Das Mädchen muß lachen. „Sie sehen aber gar nicht so aus."

„Das hat mich auch gerettet. Trotzdem war er sehr böse auf mich."

„Dann hatte er sicher Grund", ereifert sich die Kleine.

„Natürlich hatte er Grund. Ich habe ihn ein bißchen belogen."

„Pfui."

„Nicht so hastig, kleines Fräulein. Was meinen Sie wohl, wie schlecht dem da drinnen die Wahrheit bekommen wäre?"

„Das verstehe ich nicht."

„Das sollen Sie auch nicht verstehen. Es genügt, daß Sie es mir glauben. — Haben Sie noch nie für einen andern gelogen?"

Das Mädchen ist ernst geworden und besieht sich die Stiefelspitzen. „Doch — aber das war etwas anderes."

Sie hatte es ganz leise gesagt, eigentlich nur gedacht; diesen Mann ging es auch nichts an. Aber er konnte so merkwürdig fragen, und nun schämte sie sich. —

„Trude, ich darf wohl bitten!" Staatsanwalt von Treskow steht in der Tür mit Hut und Mantel, nimmt seine Tochter beim Arm und geht, ohne Rabanus' Gruß zu beachten, mit ihr hinaus.

Rabanus schaut hinterdrein.

Ach so.

*

Auf dem Nachhauseweg:

„Papa, wer war der Mann?"

„Welcher Mann?"

„Der von eben."

„Was soll das?"

„Nichts. Ich meine nur."

Beim Mittagessen:

„Papa, kommst du gut weiter?"

„Ich glaube."

„Der Mann ist doch sicher wichtig."

„Welcher Mann?"

„Der von heute morgen. Was hat er eigentlich ausgesagt?"

„Du weißt, daß ich darüber nicht spreche."

Am Abend:

„Denk mal, Papa, der hat mir heute morgen alles
erzählt."

„Was hat er dir erzählt?"

„Ich weiß nicht mehr genau. — Was hat er denn bei
dir gesagt?"

„Daß er in der Nacht beobachtet hat, wie jemand ...
Ich glaube, Kind, du willst mich aushorchen."

„Aber Papa!"

Am nächsten Morgen:

„Papa, ich möchte dich heute nicht abholen. Ich
habe Angst, ich treffe den wieder bei dir. — Wie heißt
er noch?"

„Du meinst den Rabanus?"

„Ja, Rabanus."

*

Rabanus hatte seinen schlechten Tag. Vielleicht lag
es auch an etwas anderem. Er sah mit gekniffenem

Auge abwechselnd auf die Leinwand und auf die geduldige Ria, pinselte und kratzte ab und pinselte von neuem. Mariechen Prümper saß wie geprügelt auf ihrem Stühlchen und wagte kaum zu atmen, geschweige einen Laut von sich zu geben. Sie hörte die kurzen Kommandos: Kopf mehr links! Lächeln! Geradeaus sehen! Zuckte zusammen und tat, was man verlangte. Vor allem lächeln.

Die Arbeit ist quälend und hoffnungslos. Das Bild wird immer unglücklicher, grinsender.

Rabanus ist gewohnt, zu tun, was ihm Spaß macht. Das hier macht ihm keinen Spaß. Er versteht nicht, warum er es angefangen hat. Was ging ihn dieses Mädchen an?

Er sprang auf, spielte einige Akkorde am Flügel. Ihm fallen ein paar Motive ein, denen er nachgeht. Aber der Bechstein scheint ihm verstimmt; es ist ein altes Instrument, bei dem die Stimmnägel noch in Holz gebettet sind. Er nimmt den Stimmschlüssel und stimmt nach. Es ist eine Marotte von ihm, keiner macht es ihm gut genug. Es dauert lange, und er hat heute keine Geduld. Ihm fällt ein, daß er Hunger hat. Er macht sich eine Tasse Tee, umständlich, nach einer eigens von ihm ersonnenen Methode, ißt einige Scheiben weißes Brot, dick mit Butter belegt und mit Salz bestreut, dazu einen Apfel und eine Handvoll blauer Trauben.

Es war eigentlich sein Mittagbrot, aber das war schwer festzustellen. Genau so, wie er schlief, wenn er müde war, aß er auch nach Hunger und Bedürfnis.

Inzwischen war es dämmerig geworden. Er hatte immer noch diese seltsame Unruhe. Ihn gelüstete nach frischer Luft. Er zog sich um, vielleicht ein wenig sorgfältiger als sonst, aber ohne es zu wissen, nahm seinen Mantel und wollte gehen.

„Tue mer denn nit mehr male?" Ria saß noch auf dem Modellschemel, den Kopf nach links, die Augen geradeaus, mit dem anbefohlenen Lächeln.

„Ach so. — Nein."

„Wann dann widder?"

„Gar nicht."

„Und dat Bild?"

„Ich habe es mir überlegt. Such dir eins von den fertigen aus. Da links steht noch ein ganzer Stapel. Nimm die Landschaft, die ist groß und bunt und hat schon einen Preis bekommen. Steht hinten drauf. So — nun geh auch schön."

*

Der nächste Tag brachte für Treskow einigen Ärger. Natürlich war es ein Freitag. Treskow war nicht abergläubisch, sondern das genaue Gegenteil, und er wußte, daß es nur Zufall war. Aber daß sich diese Zufälle immer freitags versammeln, schien ihm doch ein merkwürdiger Zufall.

Es fing gleich am Morgen an, als er in sein Büro kam. Die Maulkorb-Akte lag wieder auf seinem Schreibtisch, aber diesmal nicht in Gelb, sondern in Giftgrün gekleidet. Und innen stand mit energischem Grünstift: Z. B.

Z. B. heißt hier nicht: zum Beispiel. Sondern: Zum Bericht. Es bedeutet, daß man um elf Uhr dreißig beim Herrn Oberstaatsanwalt anzutreten und einen wohlgeordneten Vortrag über den Stand des Verfahrens zu halten hat. Und daß man unerwartete und unbequeme Fragen wie aus der Pistole geschossen beantworten muß. Das ist „Z. B." Es ist genau so, wie wenn ein Schüler zum Direktor gerufen wird. Ein ganz gutes Gewissen hat man nie, und wenn man es trotzdem hätte, auf dem langen Weg über den Gang fallen einem noch tausend Sünden ein. Weitere zehn bekommt man drinnen vorgerechnet. Und als geschlagener Mann schleicht man von dannen.

Treskow hatte noch zwei Stunden Zeit, sich auf diesen Gang vorzubereiten. Er kannte sein Aktenstück auswendig, aber es war ihm noch nie so klar geworden, wie wenig er bis heute erreicht hatte.

Es war nicht Treskows Art, seine schlechte Laune an Untergebenen auszulassen. Aber daß dieser Referendar Thürnagel, der ihm zur Ausbildung überwiesen war, Morgen für Morgen erst um zehn Uhr anschob, dick, müde und verschlafen, das war doch nicht in der Ordnung. Als Sohn einer blühenden bergischen Brauerei hätte er in besonderem Maße die Pflicht gehabt, seine Eignung zur Beamtenlaufbahn und insbesondere zum Juristen unter Beweis zu stellen. Dazu genügte es keineswegs, daß er ein wohlgelittener Gast bei Frau Tigges und den anderen renommierten Weinlokalen der Stadt war. Auch die Tatsache, daß er von Tag zu Tag molliger und rosiger wurde, konnte über sein sparsames Wissen und Tun nicht hinwegtäuschen.

„Herr Kollege", begrüßte ihn Treskow, „ich meinerseits bin bereits seit halb neun hier."

„Ich weiß, Herr Staatsanwalt, ich weiß. Ich werde morgen versuchen, etwas früher zu kommen."

„Weiß der Deibel, warum Sie ausgerechnet Jurist werden mußten."

„Familientradition, Herr Staatsanwalt: Der Älteste übernimmt die Brauerei, der Zweite wird Offizier, der Dritte studiert. Was soll man studieren? Theologe ist zu fromm, Mediziner zu unappetitlich, Philologe zu mühsam; bleibt Jurist."

Treskow sagte nichts. Darauf konnte man nichts sagen. Da konnte man nur eine Gänsehaut kriegen.

Dann ließ sich der Assistent Schibulski bei Treskow melden.

Mit Schibulski war eine grandiose Schweinerei passiert. Man hatte ihn bei einer Polizeistreife in einem jener Häuser gefunden, von denen man nicht spricht. Das wäre schließlich noch hingegangen, dieses Pech hätte man mit dem Mantel barmherziger Liebe zudecken können, wenn sich dabei nicht herausgestellt hätte, daß Schibulski den Wein und die andern Annehmlichkeiten des Hauses sich ohne Bezahlung spenden ließ. Geschah es unter Mißbrauch seiner Beamteneigenschaft? War es passive Beamtenbestechung? Auf alle Fälle war es peinlich.

Schibulski bittet um eine Unterredung unter vier Augen.

„Dazu besteht keine Veranlassung", sagt Treskow. „Der Herr Referendar kann das ruhig mit anhören. Das weitet seinen Blick. — Wie alt sind Sie, Herr Kollege?"

„Fünfundzwanzig."

„In dem Alter war ich schon zwei Jahre Assessor. — Das nebenbei."

Schibulski möchte trotzdem den Herrn Staatsanwalt allein sprechen. Es wäre auch im persönlichen Interesse vom Herrn Staatsanwalt.

„Ich habe keine persönlichen Interessen. Da wird der Herr Kollege erst recht hierbleiben."

Schibulski versucht es anders herum: So wäre das nicht gemeint, aber es wäre ihm selbst doch so entsetzlich unangenehm und so weiter. Dafür hat der taktvolle Treskow Verständnis. Thürnagel verdrückt sich feixend, und der Sünder Schibulski mag reden.

„Der Herr Staatsanwalt werden gütigst verzeihen, der Herr Staatsanwalt kennen ja meinen Fall und werden meine Lage verstehen, es ist das erstemal, ich habe noch nie etwas gehabt, und es ist gewissermaßen nicht verbrecherische Neigung, sondern jugendliche Notlage und Unerfahrenheit, wie man zu sagen pflegt, und da möchte ich vielleicht ergebenst anregen, ob wir die Sache nicht unter den Tisch können fallen lassen."

Treskow schaut ihm steil ins Gesicht. „Herr Assistent, wir haben keinen Tisch, unter den wir etwas fallen lassen."

O nein, das verlange er auch nicht, aber vielleicht könnte man ausnahmsweise einmal eine Art Ausnahme machen und gewissermaßen ein Auge zudrücken —

„Herr Assistent, Sie sind lange genug im Dienst, um zu wissen, daß wir unsere Augen nicht zum Zudrücken haben."

Und der Herr Staatsanwalt wolle auch gütigst berücksichtigen, man wäre doch vielfacher Familienvater...

„Das waren Sie schon vorher."

Und außerdem handle es sich weniger um ihn persönlich, es sei auch im Interesse der Behörde, wenn nicht gleich alles an die große Glocke käme —

„Das Interesse der Behörde wollen Sie gefälligst der Behörde überlassen."

Selbstverständlich, und er wollte auch nicht vorgreifen, aber der Herr Staatsanwalt müsse doch einsehen, wir wären alle Menschen, jeder könne mal ein bißchen ausrutschen, der eine so, der andere so, nicht wahr, besonders in vorgerückter Stunde, gerade der Herr Staatsanwalt müsse doch dafür Verständnis haben, aber er wolle damit nichts gesagt haben, er meine nur ganz allgemein und so.

Schibulski ist immer dichter auf den Staatsanwalt herangekommen. Treskow weicht langsam zurück; die körperliche Nähe und der Geruch dieses Mannes sind ihm unangenehm, er sieht häßliche Hände mit unsauberen Nägeln, die vor ihm fuchteln. Er ist von seiner Kundschaft einiges gewohnt, aber dieser Mensch mit seinem schleimigen, sinnlosen Gerede geht ihm auf die Nerven.

Schibulski läßt sich nicht beirren. Seine Stimme wird leiser, drohender: So sei es in der Welt, und die Beamten müßten zusammenhalten, eine Hand wäscht gewissermaßen die andere, und es wäre nicht jeder in der glücklichen Lage wie der Herr Staatsanwalt, und er wolle auch nichts andeuten, aber es sei doch ein glücklicher Zufall, daß der Zeuge Rabanus nachher beim Herrn Staatsanwalt ganz anders ausgesagt habe als vorher, und was dem einen recht, das sei dem anderen billig, und schließlich säße ja jeder mehr oder weniger auf einem Pulverfaß, und wenn er auch ein einfacher Assistent und ein kleiner Mann sei, man solle ihn nicht bis zum Äußersten treiben, aber das käme bei ihm natürlich nicht in Frage —

Staatsanwalt von Treskow hat längst nicht mehr hingehört. Wenn der Mensch den wilden Mann spielen will, dann soll er das demnächst vor dem Schöffengericht tun; die fallen manchmal auf solchen Zinnober herein. Einem alten Fuhrmann kann man damit nicht imponieren.

„Es ist gut, Herr Assistent. Wenn Sie glauben, daß Ihnen Unrecht geschieht, so wissen Sie, wo Sie sich beschweren können." Er zieht die Uhr. „Übrigens müssen Sie mich jetzt entschuldigen."

Dann geht Treskow über den langen dunklen Gang und einige Minuten später sitzt er vor seinem Oberstaatsanwalt und läßt den Bericht vom Stapel. Der Gewaltige bleibt unbeweglich mit dem gleichmäßig konzilianten Vorgesetztengesicht, durch das man nicht hindurchschauen kann. Er unterbricht nicht, stellt keine Zwischenfragen, es ist beängstigend. Treskow beendet seinen Vortrag und ist ganz klein: „Damit Herr Oberstaatsanwalt, glaube ich alles getan zu haben, was nach Lage der Sache getan werden konnte."

„Mag sein." Der Oberstaatsanwalt wendet langsam den grauen Kopf. „Trotzdem, Herr von Treskow, bin ich enttäuscht. Es kommt nicht darauf an, was man tut, sondern was man erreicht. Danach allein werden wir beurteilt. Wir wissen aus der Geschichte, ein Stratege kann die größte Dummheit machen; gewinnt er die Schlacht, ist er ein großer Mann und bekommt ein Denkmal. Geht die Sache schief, ist er ein Verräter, und kein Teufel kümmert sich um seinen genialen Plan. In diesem Sinne, lieber Treskow, möchte ich einmal weniger von Ihren Taten und mehr von Ihren Erfolgen hören."

Treskow sieht ihn hilflos an und schweigt.

„Ganz recht", sagt der Oberstaatsanwalt, „es ist nichts. Das Ergebnis ist verdammt mager, unter uns gesagt: gleich Null."

„Vielleicht ist dieser Rabanus eine Art Lichtblick."

„Vielleicht. — Haben Sie ihn verhaftet?"

„Noch nicht. Vorläufig fehlt mir dazu noch die Grundlage."

„Manchmal ergibt sich die Grundlage für eine Verhaftung erst durch die Verhaftung. Sie wissen, wie schnell die einsame Zelle schweigsame Leute zum Reden bringt."

„Ich halte dieses Mittel für nicht einwandfrei."

„Manchmal sind wir darauf angewiesen."

„Gewiß, wenn Sie meinen, Herr Oberstaatsanwalt —"

„Ich möchte hier keine Meinung äußern. Die Entscheidung und Verantwortung liegt ausschließlich bei Ihnen. — Aber ich glaube, Sie arbeiten zu wenig psychologisch. Die meisten Täter verraten sich auf irgendeine Weise selbst."

„Ich weiß, durch das schlechte Gewissen."

„Nee, darauf kann man sich nicht verlassen. Dieser Maulkorbheld wird bestimmt nicht von Reue gebissen, sondern bildet sich einen Stiebel ein und läßt sich von seinen Gesinnungsgenossen gebührend feiern."

„Die Brüder werden ihn nicht verpfeifen."

„Da muß man nachhelfen. Für ein paar hundert Mark hat schon mancher sein staatstreues Herz entdeckt. Vielleicht kann auch dieser Rabanus ein bißchen Taschengeld brauchen."

„Sie meinen, man sollte eine Belohnung aussetzen? Ich tue es ungern, es ist bezahlter Verrat."

„Sie hätten Theologe werden sollen. Außerdem bezahlen wir nicht den Verrat, sondern die Mühewaltung. Daß wir sie gut bezahlen, ist unser gutes Recht, und wem es nicht paßt, braucht es nicht zu nehmen. — Machen Sie es so, lieber Treskow. Und die Akten können Sie hierlassen. Die möchte ich mal genauer durchsehen."

*

Sonntag morgen gegen halb zwölf ging bei Treskows die Hausschelle. Einige Augenblicke später knickst Billa vor Frau von Treskow und überbringt auf silberner Schale drei Visitenkarten.

„Rabanus? Ist mir unbekannt. Fragen Sie meinen Mann."

Der Herr Staatsanwalt ist nicht erreichbar. Er sitzt in der Badewanne.

„Trude, hast du vielleicht eine Ahnung?"

Trude wird rot und ist völlig ahnungslos.

Vielleicht ein neuer Referendar, der sich vorstellt? Er soll warten, bis der Herr Staatsanwalt soweit ist. Trude meint: „Mutti geh doch mal, vielleicht ist es doch kein Referendar; das würde auf der Karte stehen. Ich bin auch so schrecklich neugierig."

Das ist kein ausreichender Grund, und Frau Elisabeth ist keineswegs neugierig; aber sie möchte doch gerne wissen —

Im Salon findet sie den Besucher. Trude ist im Nebenzimmer und guckt durch die Vorhangritze. Das ist er!

„Gnädige Frau, ein liebenswürdiger Zufall hat mich neulich mit Ihrem Fräulein Tochter zusammengeführt. Durch eine Art höhere Gewalt wurden wir getrennt, ehe ich dazu kam, mich bekannt zu machen. Diese Unterlassungssünde nachzuholen, ist der Zweck meines Besuches."

„So? Meine Tochter hat mir nichts davon erzählt?"

„Das freut mich zu hören."

Frau von Treskow ist weniger erfreut. „Schön, Herr — Rabanus, ich werde es meiner Tochter ausrichten."

„Ich glaube, es ist nicht mehr nötig", sagt Rabanus mit einem Seitenblick auf die Portiere. „Ich hätte mich allerdings sehr gefreut —"

Frau von Treskow wird noch einen Grad kühler. Die Sache gefällt ihr nicht. „Meine Tochter läßt sich entschuldigen, und was mich anbelangt, ich habe Halsschmerzen, der Arzt hat mir eigentlich jedes Sprechen verboten."

„Etwas Ähnliches habe ich befürchtet, und infolgedessen, gnädige Frau, müßte ich mich nun empfehlen. Aber vielleicht gibt es eine Möglichkeit, Ihre liebenswürdige Gesellschaft noch für einige Augenblicke zu genießen, ohne daß Sie sprechen. Ich werde Ihre Rolle bei der Konversation mit übernehmen. Ich weiß natürlich nicht, was Sie jeweils denken; vielleicht weiß ich es auch, aber das spielt keine Rolle. Jedenfalls weiß ich genau, was Sie an dieser und jener Stelle sagen würden; es ist durch die bürgerliche Konvention eindeutig festgelegt. Also fangen wir an. Sie werden zunächst behaupten: Es freut mich, Sie kennenzulernen. Worauf ich antworte: Bitte, nicht der Rede wert. Ob es Sie wirklich freut, scheint mir fraglich. Sie haben im Augenblick noch keinen Grund dazu. Sie können darüber erst in drei Monaten urteilen, wahrscheinlich erst in zwanzig Jahren; dann allerdings wird man offen darüber sprechen, offener vielleicht, als uns lieb ist. Für heute beschränken wir uns darauf, uns wechselseitig nach unserem Befinden zu erkundigen und mit ‚danke, gut' zu antworten. Eine wahrheitsgemäße Antwort zu verlangen, wäre indiskret und würde einen zeitraubenden Bericht über körperliche, seelische und finanzielle Zustände erfordern. Geistvolle Leute antworten mit einem listigen Augenzwinkern: Danke, zeitgemäß. Und bringen dadurch das Gespräch geschickt auf die seit Urbeginn der Menschheit beklagten schlechten Zeiten. Oder, was dasselbe ist, auf das Gebiet der Politik. Darüber brauchen wir uns nicht zu unterhalten. Die Politik steht im Generalanzeiger. Als Dame von Welt werden Sie, gnädige Frau, statt dessen auf das Wetter zu sprechen kommen. Bitte, wehren Sie nicht ab. Nur Spießer witzeln darüber. Es ist eine der hervorragendsten Funktionen des Wetters, für alle Stände und Lebenslagen einen unverbindlichen und ungefährlichen Gesprächsstoff zu liefern, der niemals ausgehen kann. Wetter gibt es jeden Tag neu. Nachdem ich solcherart durch meine meteorologischen Kenntnisse meine Allgemeinbildung bewiesen habe, gestatte ich mir, mich etwas unvermittelt nach dem Befinden des Fräulein Tochter zu erkundigen. Sie werden wiederum antworten ‚danke‘ und werden denken ‚aha‘. Sie haben recht, ‚aha‘ zu denken, doch das gehört nicht zum Thema. Wohl wird es allmählich Zeit, daß ich Ihnen etwas Angenehmes sage. Erstens ist es üblich, zweitens meiner Lage durchaus vorteilhaft, und drittens ist es in diesem Falle sogar wahr. Allerdings hatte ich mir Sie etwas anders vorgestellt.“

„Wieso anders?“ Frau von Treskow ist eine Frau und vergißt darüber ihre Halsschmerzen.

„Zunächst hatte ich gedacht, Sie seien dick.“

„Oh."

„Übrigens sehe ich Ihren Händen an, daß Sie musikalisch sind. Sie spielen vorzüglich Klavier, und zwar mit Vorliebe Chopin."

„Können Sie das sehen?"

„Nein, ich habe es von draußen gehört. Und damit wären wir bei meiner Person angelangt. Sie werden mich fragen, ob ich von hier bin. Ich weiß, daß diese Frage mehr bedeutet als eine geographische Feststellung. Sie wollen wissen, wer und was ich bin, dies um so mehr, als Sie sich nach mir noch nicht erkundigen konnten. Also kurz: Sechsundzwanzig Jahre, Reichsdeutscher, unbestraft, ehrlicher Sohn ordentlicher Eltern, seit vier Monaten studienhalber hier anwesend. Und von Beruf — das ist ein wenig kompliziert: Die Maler halten mich für einen guten Musiker, die Musiker für einen tüchtigen Literaten, und die Literaten für einen ordentlichen Maler. Ich weiß nicht, wer recht hat, ich fürchte alle drei. Mehr möchte ich nicht verraten; es ist besser, eine kleine Neugier wachzuhalten und Gesprächsstoff aufzuheben für später."

Trude ist längst durch die Portiere hereingeschlüpft, hat sich artig auf ein Sesselchen gesetzt und verschlingt ihren Rabanus mit großen Augen. Frau von Treskow fühlt sich zunächst überrumpelt. Aber nun hat sie ein wohliges Gefühl der Wehrlosigkeit. Außerdem ist sie durch das Haus ihres Vaters, der ein berühmter Sammler und Mäzen ist, an allerlei Käuze gewöhnt. Rabanus fühlt, daß er Boden gewinnt, und tut einen herzhaften Sprung vorwärts:

„Und wenn ich weiterhin für Sie reden darf, gnädige Frau: Sie werden mich vielleicht allmählich fragen, ob Sie mir ein Glas Wein anbieten dürfen. Der Form halber, denn Sie wissen, daß ich als wohlerzogener junger Mann danken muß; es ist mein erster Besuch, und da ist der Konsum von Lebensmitteln nicht üblich. Ich weiß das wohl. Ich weiß aber auch: Wenn ich ‚ja‘ sage, habe ich Grund, noch einige Minuten zu bleiben. Also, bitte ja.“

Er hätte das nicht gesagt, wenn Frau von Treskow nicht inzwischen schon geklingelt hätte. Billa bringt einen alten Sherry, der dem Hause Ehre macht. Trude bekommt auch ein Glas. Man kann anstoßen, auf das Wohl der Hausfrau, auf ihre baldige Genesung. Übrigens tut der Hals schon gar nicht mehr weh.

Ein Schluck Wein ist mehr als ein wohlschmeckendes Getränk. Er ist ein Symbol der Gastlichkeit und schlägt luftige Brücken zwischen den Menschen. Und dennoch hätte Rabanus besser getan, seinen Besuch abzukürzen. Staatsanwalt von Treskow, durch das Bad erfrischt und gestärkt, ist auf einmal eingetreten, sieht auf dem Boden den Zylinder, auf dem Tisch die Gläser, erblickt Rabanus und sagt nicht „Bitte behalten Sie Platz“ oder „Es freut mich“. Sondern: „Sie wünschen?“

Es klingt tief und eisig, als hätte er gefragt: Sind Sie vorbestraft?

Auf soviel Staatsanwalt war Rabanus nicht gefaßt. Er sucht in gutbürgerliche Formen umzubiegen: „Herr Staatsanwalt, ich hatte bereits vor einigen Tagen das Vergnügen —“

„Von Vergnügen war dabei wohl nicht die Rede. Aber wenn Sie Ihrer Aussage noch etwas hinzuzufügen haben, so wissen Sie, wo ich zu sprechen bin."

„Meiner Aussage etwas hinzuzufügen? Nein, Herr Staatsanwalt, das tue ich besser nicht. Das würde die Sache — unnötig komplizieren."

„Dann weiß ich nicht, was Sie herführt. Jedenfalls ist es nicht üblich, daß Leute, die ich vernommen habe, mir sonntags ihre Aufwartung machen."

„Ich komme nicht in dieser Eigenschaft."

„Ich wüßte nicht, welche Beziehungen wir sonst miteinander hätten."

„Eben darum —"

„Ich habe auch nicht die Absicht, daran etwas zu ändern."

„Herr Staatsanwalt, die Gesetze der gesellschaftlichen Formen sind mir nicht unbekannt. Ich brauchte nur einen Bekannten zu haben oder mir zu besorgen, der mit Ihnen im gleichen Verein ist oder mit Ihrem Fräulein Tochter tanzt, so hätte ich die erforderliche Beziehung, den Vorzug und die Legitimation. Ohne das bin ich für Sie —"

„Ganz recht, Herr —. Und wie schon gesagt, wenn Sie mir etwas mitzuteilen haben, dann bitte schriftlich unter Aktenzeichen 3 J 447/09."

Staatsanwalt von Treskow macht eine kurze Verbeugung mit dem Kinn. Der Besucher ist entlassen.

Treskow ist mit sich zufrieden und achtet nicht auf die verdutzten Gesichter von Frau und Tochter. Er weiß, das hat er richtig gemacht. Etwas schroff vielleicht; aber das fehlt noch, daß in seinem Hause ein Mensch verkehrt, den man wahrscheinlich in Kürze unter Anklage stellen und einbuchten muß.

*

Die ausgesetzte Belohnung von dreihundert Mark hatte die gewünschte oder wenigstens die erwartete Wirkung.

Solange im Generalanzeiger stand: ‚Etwaige Zeugen werden gebeten', kümmerte sich kein Mensch darum. Zeuge sein ist kein Vergnügen. Mit Polizei und Gericht hat man nicht gern zu tun, es gibt Lauferei und Ärger, und obendrein wird man angeschnauzt. Und was das Zeugengeld anlangt, so ist daran nicht viel zu verdienen; man erzählt sich von einem Fall, wo jemand nichts bekommen hat. Bloß weil er Rentner war.

Dreihundert Mark, das ist schon etwas. Nicht überwältigend — die Staatskasse ist schäbig, wie immer — aber wenn man dreihundert Mark nebenher mitnehmen kann —

Es wirkt wie ein Preisrätsel. Morgens am Kaffeetisch stecken die Familien die Köpfe zusammen und überlegen und brüten, ob sie nicht doch etwas wissen. Oft sind Kleinigkeiten entscheidend, Apfelsinenkerne, ein abgebranntes Streichholz, man weiß das aus den Detektivromanen.

Mühsam hat alle Hände voll zu tun; die Zeugen drängen sich, es geht am laufenden Band:

„Herr Kommissar, ich weiß, wer es war: Die Kradepohls von uns nebenan, die haben einen Hund, und was denken Sie, der ist immer ohne Maulkorb."

„Was ist das für ein Hund?"

„Ein fieses Biest, so ne Art Rehpinscher."

Bitte der Nächste.

„Herr Wachtmeister, da ist die Familie Spiegel von der Neußer Straße, da waren wir früher mal mit befreundet, aber seit wir sehen, was das für Völker sind — wissen Sie, was die für ne Zeitung halten — da weiß man ja genug."

Bitte der Nächste.

„Herr Kriminal, eigentlich wollt ich nicht drüber sprechen, und Sie dürfen mich auch nicht verraten, aber wenn die Leut einen sitzen haben, ich mein der alte Hufnagels von der Kölner Straße, ich kenn ihn weiter nicht, der soll in einemfort sagen: Ich lach mich kapott, ich lach mich kapott."

Bitte der Nächste.

„Herr Sergeant, nicht wahr, der soll doch einen Knopf am Denkmal verloren haben. Ich hab die ganze Woch aufgepaßt, als Invalide hat man ja Zeit, und da hab ich einen gesehen, der hatte wahrhaftig als Jott einen Knopf am Mantel ab, ich sofort hinterher, er ging zum Bahnhof. Meinen Sie, daß Sie den finden können?"

Klar. — Bitte der Nächste.

„Ach, Herr Polizei, entschuldijen Se vielmals, dat ich nit eher jekommen bin, aber mer hat soviel, der Haushalt un alle Händ voll, un da is nämlich mein Mann, ich bin jetzt von ihm ab, Jott sei Dank, jede

Nacht die blaue Flecke un der Radau, un ich weiß janz bestimmt, der is in der Nacht von Samstag auf Sonntag nit zu Haus jewese; wat sagen Se nu?"

„Woher wissen Sie das?"

„Woher ich dat weiß? Der? Der is doch kein Nacht zu Haus, dat wissen se doch all. Und der is auch zu allem fähig."

Bitte – der Nächste.

Draußen sammeln sich die Zeugen. Vorher, ehe es zur Vernehmung kam, haben sie sich mißtrauisch betrachtet und hätten sich am liebsten gefressen. Nun, wo es nichts geworden ist, sind sie ein Herz und eine Seele und alle der gleichen Meinung: Natürlich wieder Schiebung. Die Belohnung ist nicht für unsereins, die wird irgendein Beamter kriegen. — Was, Beamte sind ausgeschlossen? Haben Sie eine Ahnung! Die kriegt dann irgendein Hintermann, das kennt man ja. Und nun ist eine ganz Feine drin, natürlich, für so was hat der Herr Kommissar Zeit, die wird nicht abgeschoben wie wir.

Das Volk irrt.

Mühsam ist völlig abgekämpft und infolgedessen auch zu der gutsituierten Dame in dem knappen Samtkostüm und den senfgelben Glacéhandschuhen ausgesprochen unliebenswürdig: „Was wissen Sie von der Geschichte, was haben Sie gesehen, was haben Sie gehört, bitte kurz!"

„Wieso kurz, Herr Kommissar? Wie soll ich das verstehen? Wenn Sie das nicht interessiert, ich bin gewöhnt, daß man Zeit für mich hat, aber wenn Sie meinen, Sie könnten mich hier anfahren für die lumpigen dreihundert Mark, bitte sehr — wo ich doch alles mit angesehen habe, bitte sehr —."

Sie schnippt mit dem Kopf und will aufstehen.

Kriminalkommissar Mühsam ist schneller als sie und plötzlich unglaublich aufgedreht. Er drückt sie fast zärtlich in den Stuhl, nimmt ihr den Schirm ab und bemüht sich um sie und hätte ihr beinahe eine Zigarre angeboten. „Aber bitte, gnädige Frau, nehmen Sie sich Zeit, ich stehe ganz zu Ihrer Verfügung, wir können uns in aller Gemütlichkeit darüber unterhalten."

Die gutsituierte Dame verzieht den Mund, streichelt ihre Handschuhe und läßt den Beamten eine Weile zappeln. Dann fängt sie allmählich an, langsam und gleichgültig. Mühsam hängt an ihren Lippen.

In der Nacht von Sonnabend auf Sonntag, vielleicht gegen zwei, es kann aber auch drei gewesen sein, habe sie zufällig aus dem Fenster gesehen. Gott, wie man so nachts aus dem Fenster sieht, um etwas Luft zu schnappen, nicht wahr? Da kam von Tigges am Treppchen ein Mann oder ein Herr, nachts kann man das nicht so unterscheiden, und dann ging bei Tigges am Treppchen das Licht aus. Und der Mann ging zum Denkmal und stieg über das Staket, — nein, erkennen konnte sie ihn nicht aus der Entfernung, sie hat auch nicht weiter drauf geachtet, sie konnte ja nicht wissen, aber es war der letzte Gast von Tigges, und außerdem wurde ihr kalt in dem dünnen Seidenhemdchen und so, und da hat sie das Fenster wieder zugemacht.

Mühsam geht auf wie eine Sonne und hat alles mitgeschrieben und notiert, Namen und Adresse der Zeugin. Auf einmal entdeckt er in der Sache einen Schönheitsfehler. „Sie wohnen Lindenstraße 177? Ja, sagen Sie mal, liebe Dame, das ist ja eine ganz andere Gegend. Von der Lindenstraße können Sie das Denkmal doch nicht sehen. Was reden Sie denn da?"

Die gutsituierte Dame ist ein bißchen pikiert. „Bitte sehr, Herr Kommissar, Sie wissen ja gar nicht, ob ich zu Hause war. Habe ich das gesagt? Kein Wort habe ich davon gesagt. Vielleicht habe ich zufällig irgendwo anders geschlafen, nicht wahr, vielleicht bei einer Verwandten oder vielleicht bei einer Freundin. Und die dreihundert Mark können Sie mir bitte auf mein Konto bei der Deutschen Bank überweisen."

Die Polizei kennt kein Vielleicht. Außerdem ist sie von Berufs wegen neugierig. Sie will das genau wissen, wer ist die Freundin, wie heißt sie, wo wohnt sie? Hat sie auch etwas gesehen?

Die Gutsituierte wird merkwürdig nervös, rückt auf dem Stuhl hin und her und zupft an ihren Handschuhen. Was sie gesehen habe, das habe sie gesehen, und von wo, das ginge keinen was an, und überhaupt sei das keine Art, einen hier auszufragen, die Sache sei ihr überhaupt zu dumm, und dann nähme sie einfach ihre Aussage zurück.

Rauscht hinaus.

*

Frau von Treskow hat im zweiten Stock ein Stübchen, in das sie sich zurückzieht, wenn sie ein Buch

liest oder allein sein will. Heute hat sie einen beson-
deren Anlaß. Sie hat einen Maulkorb vor sich liegen,
aus braunglänzendem, knirschendem Leder, mit blitz-
blanken Nieten. Und überlegt lange, wie sie es
machen soll.

Dann ruft sie Trude zu sich herauf.

„Kind, damit du Bescheid weißt, unser Maulkorb
hat sich wiedergefunden."

„Ist ja gar nicht wahr. Ich dachte —"

„Was dachtest du? Du hast nichts zu denken, mein
Kind!"

„Wo war er denn, Mutti? Ich meine, wenn Papa
danach fragt. Am besten unter dem Bücherschrank.
Was meinst du, Mutti?"

Frau von Treskow weiß darauf nichts zu sagen.
Es ist auch unnötig.

Dann geht Trude hinunter und kommt nach einer
Minute zurück mit einer Flasche Essig, einer Feile,
etwas Glaspapier und einem Döschen Schuhwichse.

„Sag mal, bist du närrisch?"

Man kann von Trude eher das Gegenteil behaupten. Sie nimmt sich den Maulkorb vor und macht mit
der Feile die scharfen Lederkanten rund, reibt mit
Glaspapier die glänzenden Riemchen rauh, beizt mit
Essig die blanken Teile blind und zerstört mit Wichse
die unberührte Sauberkeit. „So, nun sieht er richtig
aus. Er riecht zwar nicht nach Hund, aber Papa wird
ihn wohl nicht beschnuppern."

Frau von Treskow hätte nicht daran gedacht.
Trude ist ein patentes Mädel.

Übrigens scheint sie noch etwas auf dem Herzen zu haben. Sie schmust wie ein Kätzchen um die Mutter, stopft ihr ein Kissen in den Rücken, holt ein Fußbänkchen und weiß nicht, was sie tun soll vor lauter Liebe und Sorge.

„Nun, sag es schon."

Trude druckst und steckt den Kopf weg.

„Rabanus?"

Trude schweigt.

„Was ist damit?"

„Mutti, den hätten wir nicht hinausschmeißen sollen. Wo er doch alles weiß."

„Was weiß?"

„Das mit Papa und dem Denkmal."

„Was ist mit Papa? — Gar nichts ist mit Papa! — Verstanden! — Um Gottes willen, hast du denn dem Rabanus was gesagt?"

„Im Gegenteil, Mutti, der hat es in der Nacht doch selber gesehen."

Frau von Treskow glaubt, das Herz bleibt ihr stehen.

„Das hättest du mir eher sagen müssen."

„Das wußte ich da noch nicht. — Ist aber nicht schlimm, Mutti, der sagt nichts. Der würde eher sterben."

„Hoffentlich. — Habt ihr euch heimlich getroffen?"

„Aber Mutti!"

Und wird dunkelrot.

Inzwischen ist die Nachmittagspost gekommen. Frau von Treskow sieht sie durch. Sie stutzt über einen Brief. Dergleichen hat sie noch nie erlebt. Da steht kein Titel auf der Adresse, nicht einmal Herr oder Frau, sogar das ‚von‘ ist unterschlagen. Da steht kahl und nackt: Treskow. Und die Adresse ist nicht mit der Hand geschrieben, auch nicht mit der Schreibmaschine. Man hat gedruckte Buchstaben aus einer Zeitung ausgeschnitten und hintereinander aufgeklebt.

Ein Scherz oder eine Gemeinheit?

Jedenfalls etwas, über das sich ihr Mann ärgern würde. Sie holt tief Atem und öffnet. Auch der Brief besteht aus einzeln aufgeklebten Zeitungsbuchstaben:

> Herr Staatsanwalt Sie sitzen auf einem Pulverfaß und da sollten Sie auch einen kleinen Mann leben lassen sonst könnte es knallen! Einer der es gut meint.

Trude hat ihren Kopf mit hineingesteckt. Sie begreift die Tragweite des Briefes nicht. Vorläufig amüsiert sie sich über die Idee der ausgeschnittenen Druckbuchstaben und überlegt, ob sie ihrer Freundin Agnes nicht auch so schreiben könnte.

Anonyme Briefe soll man nicht lesen, man soll sie verbrennen. Jeder hat diesen Grundsatz, aber niemand tut es. Kein Schriftstück wird so sicher und sorgfältig studiert und durchdacht wie ein anonymer Brief. Das Mittel ist so dumm und so billig und doch so wirkungsvoll.

„Sieh mal her, Trude“, sagt Frau Elisabeth, „das ist also der, von dem du glaubst, daß er eher sterben würde!“

Referendar Thürnagel war heute schon um viertel vor zehn gekommen. Das war selbstverständlich ein Versehen. Aber Treskow freute sich darüber und gab ihm zur Belohnung für diesen ersten Anflug von Diensteifer die Maulkorb-Akte zu lesen. Immerhin war ihm der junge Mann zur Ausbildung überwiesen, und schließlich war es auch nicht uninteressant, wie ein unbefangener Sohn des Volkes die Sache auffassen würde.

Thürnagel studierte die Akte nicht mit überschäumender Begeisterung. Er tat grundsätzlich nichts mit Begeisterung, wenigstens nichts Dienstliches. Er beging sogar die Unvorsichtigkeit, dabei zu flöten.

„Herr Kollege, abgesehen davon, daß es mich stört, glaube ich nicht, daß eine solche Musikbegleitung Ihren juristischen Gedankengängen förderlich ist."

Thürnagel stoppt die Flöte. Übrigens stieß er gerade auf etwas Amüsantes: die gutsituierte Dame mit der zurückgezogenen Aussage.

„Herr Kollege, da ist auch kein Grund zum Lachen. Es wäre mir lieber, zu hören, welche Folgerungen Sie aus dieser Aussage ziehen, und welche Ermittlungen nunmehr zwangsläufig zur Feststellung des Täters führen."

Der Referendar weiß es nicht und hält es auch nicht für wichtig, und als auf einmal der Obersekretär fast ohne anzuklopfen hereinstürzt und die Maulkorb-Akten haben will, weil der Herr Oberstaatsanwalt danach gefragt hat, und alles vor lauter Ober und Maulkorb zappelt und aus dem Häuschen ist, da platzt der dicke Thürnagel mit seinem unausgeschlafenen Baß dazwischen: „Ich weiß überhaupt nicht, was man wegen dem bißchen Maulkorb für ein Buhei macht. Morgens der erste Schutzmann hätte ihn gleich herunterholen sollen."

Treskow fährt gegen die Decke. „Ich muß doch ernstlich bitten, Herr Kollege, erstens sind staatsanwaltliche Ermittlungen kein Buhei, wie Sie sich so geschmackvoll auszudrücken belieben, sondern Pflichterfüllung und Dienst am Staate. Und zweitens ist es ein wahres Glück, daß Sie nicht Schutzmann geworden sind; die Obliegenheiten eines Beamten scheinen Ihnen noch nicht aufgegangen zu sein."

Dann milder fortfahrend: „Es wird Sie aber dennoch interessieren, was ich in der Sache weiter zu tun gedenke. Wir haben jetzt eine sichere Spur. Diese Dame aus der Lindenstraße, deren Lebenswandel hier nicht zur Diskussion steht, hat immerhin beobachtet — von wo aus, ist letzten Endes gleichgültig — daß es der letzte Gast von Tigges war, der zum Denkmal ging. Nun brauchen wir nur noch festzustellen, wer dieser Letzte war. Und den, mein lieber Kollege" — er richtet sich groß auf und tut mit seinem langen Arm einen eisernen Griff in die Luft — „den — schnappen wir uns!"

Als Treskow nach Hause kam, war er in herrlicher Laune und pendelte summend und singend durchs Haus. Er war mit sich zufrieden. Wenigstens seit heute. Jetzt konnte es nicht mehr fehl gehen. Außerdem war eine große Kiste angekommen.

Der Schwiegervater, anerkannter Feinschmecker

und Weinkenner, pflegte persönlich am Rhein und an der Mosel einzukaufen. Gut und viel, denn er verfügte über eine gute Zunge und ein leistungsfähiges Scheckbuch. Der Arzt hatte ihm die schweren Weine verboten; aber auf den Einkaufsreisen durfte und mußte er eine Ausnahme machen. Er dehnte sie über Gebühr aus und probierte an allen Orten sorgfältig und ausgiebig auf Geschmack und Bekömmlichkeit. Für den Geschmack genügte ein Schluck, für die Bekömmlichkeit ist eine Batterie nötig. Der alte Herr tat es nicht für sich, sondern opferte sich für seine Familie, die er mitversorgte. So bekam auch der Schwiegersohn jedesmal einen tüchtigen Teil ab.

Die schwere und mit Bandeisen beschlagene Kiste wurde im Hausflur mit viel Lärm und Neugier geöffnet. Die Familie einschließlich Billa stand in feierlichem Kreis herum, Bretter und Hüllen flogen über die türkisblauen Läufer, August stand wedelnd dabei, und im Verlaufe einer Stunde lagen die Strohhalme bis in den Wintergarten.

Die Einordnung in den Flaschenkeller war eine zeitraubende, aber anmutige Tätigkeit. Für die Buchführung über den Weinbestand hatte Treskow ein Kartotheksystem erdacht, ähnlich dem seiner Privatbibliothek; die beiden Kartothekkästen standen im Bücherschrank nebeneinander und waren gut gefüllt; so konnte Treskow jederzeit den Bestand überschauen und sich seines Besitzes freuen.

Abends wurde probiert. Man war auf die neuen Marken gespannt. Außerdem fühlte Treskow sich verpflichtet, seine liebe Frau etwas aufzuheitern. Sie war bedrückt und schien wenig Anteil an seinem bevorstehenden staatsanwaltlichen Erfolg zu nehmen. Auch Trude war konfuser als sonst, aber bei jungen Mädchen wundert man sich über nichts.

„Ihr braucht euch keine Sorge zu machen", tröstet Treskow. „Ich will nichts verraten, man soll nicht gackern. Aber in zwei Tagen ist es geschafft. Und darauf wollen wir anstoßen — was macht ihr für bedepperte Gesichter?"

Zur Wiederherstellung der Stimmung muß Trude sich an den Flügel setzen. Dafür hat sie seit sechs Jahren Klavierstunde bei Fräulein Spitzbart, die auch schon ihre Mutter unterrichtet hat. Jetzt lag das alte Fräulein seit einer Woche krank zu Bett. Aber das wußte man bei Treskows nicht; Fräulein Trude ging nach wie vor zur Stunde, dreimal die Woche, und Frau Elisabeth glaubte eben heute feststellen zu können, daß ihr Töchterchen gute Fortschritte gemacht und neuerdings einen kraftvolleren, man möchte fast sagen: männlicheren Anschlag bekommen hat.

Am nächsten Vormittag ließ Rabanus sich beim Oberstaatsanwalt melden.

Der Herr Oberstaatsanwalt bedaure.

Es sei aber wegen der Maulkorbsache.

Die bearbeite Herr Staatsanwalt von Treskow, Zimmer 118.

Gerade um den handle es sich.

Eine Beschwerde?

Etwas Ähnliches.

Das verschaffte ihm Einlaß. Für Beschwerden muß ein Vorgesetzter zu sprechen sein. Ein alter preußischer Grundsatz.

Er wird zum Herrn Oberstaatsanwalt hineingeführt und braucht nicht wie beim Kriminalkommissar Mühsam an der Wand herumzustehen und sich zu räuspern. Je höher die Stelle, desto höflicher die Manieren. Auch ein alter preußischer Grundsatz. Er bekommt sofort einen Stuhl, sogar einen mit Leder bezogenen, aber in respektvoller Entfernung, offenbar um den Abstand und die geistige Kluft symbolisch auszudrücken.

Der Oberstaatsanwalt dreht die Besuchskarte in der Hand. „In welcher Angelegenheit?"

„Darf ich offen sprechen, Herr Oberstaatsanwalt?"

„Aber bitte kurz." Er ist ein alter Praktikus und hat seine Erfahrungen mit Leuten, die offen sprechen wollen.

„Herr Oberstaatsanwalt, Sie kennen den Stand der Maulkorbgeschichte?"

„Sie meinten Denkmalangelegenheit?"

„Die amtliche Bezeichnung ist mir nicht geläufig. — Ist Ihnen bekannt, daß in dieser Sache einige — wie soll ich mich ausdrücken — einige Merkwürdigkeiten aufgetaucht sind?"

„Ich kenne die Akten."

„Auch gewisse Gerüchte?"

„Wollen Sie nicht etwas deutlicher werden?"

„Ja — etwas. Ist nicht ein anonymer Brief oder eine gewisse aufsehenerregende Bezichtigung eingelaufen?"

„Ich habe keine Veranlassung, Ihnen über den Stand der Sache Auskunft zu geben."

„Sie wissen, welche Rolle ich persönlich in der Sache spiele?"

„Ich sagte bereits, daß ich die Akten kenne."

„Dann darf ich mir vielleicht in dieser Eigenschaft eine Anregung gestatten?"

„Bitte." Der Oberstaatsanwalt sieht heimlich nach der Uhr, aber so, daß es der Besucher merken soll.

Rabanus übersieht es und sagt langsam und vorsichtig. „Aus Gründen, die ich nicht erörtern möchte, dürfte es zweckmäßig sein, das Verfahren so bald als möglich einzustellen." Er blickt den Oberstaatsanwalt scharf an.

Dieser bleibt undurchsichtig und rührt keine Miene. „Ob überhaupt, und gegebenenfalls wann wir das Verfahren einstellen, das wollen Sie bitte uns überlassen. — Ist das alles, was Sie mir mitzuteilen haben?"

„Vorläufig ja. — Zunächst bitte ich um eine kleine Auskunft. Es handelt sich allerdings um eine rein theoretische Frage, was ich hiermit ausdrücklich betont haben möchte. Gesetzt den Fall, bei einer Behörde irgendwelcher Art hätte ein Beamter eine Dummheit begangen, die moralisch vielleicht nicht allzu schwer wiegt, aber in der Öffentlichkeit peinliches Aufsehen erregen würde. Was würde man tun, um das zu verhindern?"

„Nichts."

„Wenn aber ein Skandal droht mit unübersehbaren Folgen, wenn die Behörde der Lächerlichkeit preisgegeben würde und ihre Autorität auf dem Spiel stünde — würde man auch das nicht verhindern?"

„Sie scheinen nicht zu wissen, was eine Behörde ist."

„Eine mehr oder weniger zweckmäßige Einrichtung zur Erledigung staatlicher Aufgaben."

„Deswegen hat sie die Pflicht peinlichster Sauberkeit; darauf beruhen Ansehen und Autorität."

„Wenn aber gerade mit Rücksicht auf Ansehen und Autorität eine Ausnahme notwendig wäre?"

„Es gibt keine Ausnahme. Jede Ausnahme vernichtet den Grundsatz."

„Oberster Grundsatz jeder Behörde und ihrer Funktion ist das Staatswohl. Wenn das Staatswohl eine gewisse — Korrektur von Dingen verlangt, die sonst Grundsatz sind, so haben alle Bedenken zurückzustehen. Ein Beamter, der das nicht begreift oder nicht den Mut zu dieser Verantwortung hat, ist kein Diener des Staates, sondern ein Bürokrat, ich möchte sagen — eine Aktenbearbeitungsmaschine."

Der Oberstaatsanwalt sitzt wie aus Gußeisen. „Ich breche das Thema ab. Außerdem bin ich keine Auskunftsstelle für theoretische Doktorfragen. — Sie wollten mir noch den Zweck Ihres Besuches mitteilen?"

„Unter diesen Umständen nicht. — Um auf unsern Maulkorb zurückzukommen: Ich sehe, Sie legen großen Wert auf die Ermittlung des Täters. Es ist eine Belohnung von dreihundert Mark ausgesetzt. Lächerlich wenig für eine Sache solcher Bedeutung. Außerdem zwecklos: für dreihundert Mark verrät ein anständiger Mensch nicht seinen Mitmenschen. Das müssen mindestens tausend sein, bei hochgezüchteten Charakteren sogar dreitausend."

„Ich verstehe nicht, was Sie damit bezwecken."

„Das sollen Sie auch nicht verstehen. Es würde Ihr Gewissen unnötig strapazieren."

Der Oberstaatsanwalt lehnt sich in seinen Sessel zurück. „Herr Rabanus, welches persönliche Interesse haben Sie an dieser Angelegenheit?"

„Gibt es nicht Fälle, wo etwas um der guten Sache willen geschieht?"

„Kaum."

„Sie haben recht. Ganz ohne eigenes Interesse bin ich nicht hier."

„Sind Sie mit Herrn von Treskow befreundet?"

„Leider nein. Man könnte eher das Gegenteil behaupten."

„Soso, das Gegenteil." Der Oberstaatsanwalt sieht ihm scharf ins Gesicht. „Die von Ihnen angeregte Erhöhung der Belohnung werde ich nicht veranlassen. Schon damit — wie sagten Sie noch — hochgezüchtete Charaktere nicht in Versuchung kommen, bedenkliche Aussagen zu machen."

*

Zur gleichen Zeit fand in Köln eine bemerkenswerte Versammlung statt.

Elisabeth war nicht die Frau, die untätig zusieht, wenn ein Karren in den Graben fährt. Den Drohbrief von „einem, der es gut meint" hatte sie ihrem Manne unterschlagen. Den Schlafwandler, der über die Dachkante läuft, darf man nicht wecken. Allerdings hatte er bezüglich Rabanus den besseren Instinkt bewiesen. Einen Erpresser hätte sie in diesem Menschen niemals vermutet. Sie wurde irre an sich, und ihr fiel auch nichts ein, wie sie das Unheil abwenden könnte.

So tat sie das, was man in besseren Familien gemeinhin tut, wenn man nicht mehr weiter weiß: Sie berief einen Familienrat. Zehn sind klüger als einer. Ein einleuchtendes Rechenexempel. Und wenn zehn die Verantwortung tragen, fällt auf jeden nur ein Zehntel. Das ist der tiefe Sinn dieser und aller ähnlichen Einrichtungen.

Treskow durfte nichts wissen; er war diesmal Objekt, nicht Mitglied. Infolgedessen fand die Zusammenkunft in Köln bei seinem Bruder, dem Oberregierungsrat, statt. Köln ist außerdem eine angenehme und lustige Stadt. Die märkischen Treskows reisen gerne hin. Berlin kennt man, dort stolpert man über Bekannte. Nach Köln kamen sie vollzählig, leider ohne Papa Piedboeuf, der eine Mittelmeerreise machte. Für ihn erschien Tante Mina, die dreimal verheiratet war und die Klugheit dreier Männer in sich aufgesogen hatte.

Frau von Treskow erstattete Bericht. Die Maulkorbsache und der ehrenvolle Auftrag ihres Gatten war allen bekannt, es hatte in den Zeitungen gestanden, und Herbert war auf dem besten Wege, das Prunkstück der Familie zu werden. Aber dann kam der große Haken: Der Herr Staatsanwalt sein eigener Täter; der Staatsanwalt, der im Begriff steht, sich selbst beim Wickel zu fassen.

Der Erfolg war ein erschütterndes Lachen. Es knallte durch den Salon, die Glasstäbchen der großen Kristallkrone bimmelten lustig mit.

Um Witze zu hören, war man nicht gekommen. Es dauerte eine gute halbe Stunde, bis die erlauchte Versammlung kapierte. Und dann geschah eine weitere halbe Stunde nichts. Man saß auf den Seidenfauteuils, sah aneinander vorbei, spielte mit Rockknöpfen und Aschenbechern, flocht Zöpfchen aus den Fransen der Tischdecke und begnügte sich im übrigen mit unterdrücktem Räuspern.

Was sollte man dazu sagen? Dazu konnte man nichts sagen. Da konnte man nur fragen, und einer tat es auch schließlich: Hat er sich schon erschossen?

„Er weiß natürlich nichts, darf auch nichts wissen. Ich habe bisher alles von ihm ferngehalten, die Haussuchung unterbrochen, den Knopf angenäht, den Maulkorb gefälscht, den Brief unterschlagen. Ich weiß nicht, ob ich es verantworten kann."

Der Familienrat erteilt wohlwollend seine nachträgliche Billigung und Absolution und faßt einstimmig den Beschluß: Weiterhin Maul halten; es wird schon gut gehen. Die Sache ist nirgendwo besser aufgehoben als bei ihm. Solange man ihn vor sich selber schützt.

Leider hat sie einen weiteren Haken: Rabanus, der Augenzeuge.

Beschluß: Kaufen. Wieviel wird nötig sein? Man greift zu den Scheckbüchern.

Elisabeth schüttelt den Kopf: Dieser Rabanus sieht nicht nach Kaufen aus.

Beschluß: Man wird ihm ein Pöstchen verschaffen: Sie sehen sich gegenseitig an. Es sind lauter Leute mit langem Arm und ausgezeichneten Verbindungen, es wird eine Kleinigkeit sein. Was kann der Mann? Hat er hohe Ansprüche?

Die Sache liegt noch ganz anders. Hier ist der Drohbrief; er hat auch schon Besuch gemacht, ist mir nichts dir nichts ins Haus gefallen mit Redensarten und Andeutungen: Er will die Trude!

Die Versammelten sind empört. Hauen mit flammender Entrüstung auf den Mahagonitisch, zischen durch die Zähne. Aber mehr wissen sie nicht.

Inzwischen studiert Tante Mina, klug wie drei Männer, den Brief. Schmutzflecken auf billigem Schreibpapier, statt Handschrift geklebte Zeitungsbuchstaben, unmöglicher Stil. Diagnose: Ein ungebildeter, schmieriger, gerissener Patron. Erpressernatur.

Was soll man mit ihm machen?

Abknallen!

Der Neffe Otto ist jung und tatendurstig und schneidig obendrein. Er wird ihn fordern. Die Logik ist nicht schlecht: Ein Totgeschossener kann nicht aussagen.

Die Logik hat ein Loch: wird dieser Rabanus sich abknallen lassen? Ist er überhaupt satisfaktionsfähig?

Was ist er? Eine Art Maler? Auf so was kann man nicht schießen, man kann ihm höchstens eine runterhauen, aber dann kommt man vor den Schiedsmann und vors Gericht. Unstandesgemäß und sinnlos.

Die Alternative ist klar und eindeutig: Trude oder Katastrophe. Die Versammlung kommt allmählich dahinter, man redet laut und gleichzeitig, was sonst in diesem Kreise durchaus nicht üblich ist. Das arme, arme Kind. Auf keinen Fall darf es geopfert werden. Schon der Gedanke ist Verbrechen.

Obgleich andrerseits nicht zu verkennen ist, daß ein Kladderadatsch bevorsteht für die ganze Familie einschließlich Trude. Es ist keine Freude, einen wegen Majestätsbeleidigung bestraften und davongejagten Staatsanwalt in der Familie zu haben. Trotzdem: Moral bleibt Moral. Die Treskows halten zusammen, und wenn sie alle vor die Hunde gehen.

Einstimmig ist man dieser Ansicht.

Immerhin sollte man auch die Meinung der andern achten. Es wäre angebracht, darüber abzustimmen, wegen der Wichtigkeit des Falles. Natürlich geheime Abstimmung.

Frage: Soll Trude geopfert werden? Ein Kreuz bedeutet Ja. Elisabeth schneidet die Papierchen, verteilt sie, sieht geheimnisvoll gebeugte Köpfe und kritzelnde Krayons, sammelt die Zettel in einer Chinavase, schüttelt und öffnet mit zitternder Hand.

Der erste: Ja. — Allgemeine Entrüstung.

Der zweite: Ja. — Zweite Entrüstung.

Der dritte: Ja. — Dritte Entrüstung.

Weiter Ja und weiter Entrüstung. Bis zum letzten Ja und zur letzten Entrüstung.

Das hat man von der geheimen Abstimmung!

An diese Möglichkeit hat niemand gedacht. Jeder hat auf ein paar Nein-Stimmen der andern gehofft, hinter die man sich hätte verstecken können. Eine einzige Nein-Stimme hätte genügt, um jeden zu decken. Jetzt fühlen sich alle entlarvt, sehen sich gegenseitig vorwurfsvoll an und sind auf einmal sehr, sehr kleinlaut.

Sie blicken mit schlechtem Gewissen auf Elisabeth. Wird sie sich dem Spruch der Weisen unterwerfen?

Sie sagt kein Wort. Sie zerreißt die Zettelchen, streut sie in den Kamin, stellt die Schicksalsurne an ihren Platz und beginnt, sich zu verabschieden.

Die couragierte Tante Mina fragt: „Was hast du vor?"

„Ich muß es ihm sagen."

„Tu das mal nicht. Man muß nicht gleich entweder — oder. Wer schlau ist, segelt zwischendurch. Verstehst du?"

„Nein."

„Dann paß mal auf: Du tust, als ob. Du wirst den jungen Mann nett behandeln, hofieren, ihm Aussichten machen und hinhalten, bis Herbert außer Gefahr ist. Dann wird man einen Vorwand finden und ihn wieder ausbooten."

„Und das Kind? Wenn sie sich inzwischen in ihn verliebt?"

Dann wird sie sich wieder entlieben. Donnerwetter

noch mal, man liebt nicht zum Vergnügen wie die Tiere und die kleinen Leute. Man weiß, was man der Familie und dem Namen schuldig ist.

Professor Grau aus Bonn, Treskows Schwager, zerbrach sich tagelang seinen Mathematikerkopf, wieso und warum diese geheime Abstimmung nicht geheim war. Und was man in ähnlichen Fällen dagegen tun könne. Er kam dahinter: Jeder hätte drei Stimmen und drei Zettel haben müssen. Dann hätte jeder, der für Ja stimmen wollte, zwei Zettel mit Ja und einen mit Nein ausfüllen können; die Ja-Majorität wäre gesichert, und trotzdem blieben genügend Nein-Stimmen, hinter die sich jeder einzelne hätte verkriechen können. Er schrieb eine gelehrte Monographie darüber als Beitrag zur praktischen Demokratie.

Frau von Treskow schrieb etwas viel Praktischeres: Eine Einladung an Rabanus zum Butterbrot. Trude, die im Turnen eine Eins hatte, schlug einen veritabeln Purzelbaum. Die Einladung lautete auf nächste Woche Freitag. Einige Tage vorher wird man sie um acht oder vierzehn Tage verlegen. Und dann wird man weitersehen.

Hinhalten!

Frau von Treskow schämte sich.

Vor einem Erpresser braucht man sich nicht zu schämen.

*

Hallo?

– – –

Jawohl hier Staatsanwaltschaft. Wer ist dort?

Wer?

— — —

Wenn Sie Ihren Namen nicht nennen wollen, lassen Sie es bleiben. Was wollen Sie denn?

— — —

Dreihundert Mark! Stand ja in der Zeitung.

— — — —

Was sagen Sie? Für dreitausend würden Sie es tun?

— —

Schön, wir werden darüber befinden. — Hallo. — Hören Sie noch? — Hallo? — —

*

Einige Stunden später kamen rote Plakate heraus mit einer fettgedruckten

3 0 0 0

Sie hingen an Plakatsäulen und Bretterzäunen, aber auch in den Kneipen und Kaschemmen. Die Polizei hat Fühlung mit dem Volk und weiß, wo die Leute sitzen, auf die es ankommt.

In der „Kanon" verkehren keine Räte und Doktoren, sondern Männer der Arbeit mit Mützen und Halstüchern: Rollkutscher, Rheinschiffer, Hafenarbeiter und Hausierer, aber auch Gelegenheitsarbeiter und Pennebrüder, wenn ihnen jemand einen Groschen geschenkt hat.

An den drei schmalen Holztischen in der engen Wirtsstube ist nicht viel los. Leute, die nachmittags Durst haben, erledigen das im Stehen und drängen sich um den Schanktisch oder lungern draußen im

Gang und halten ihr Glas Obergärig in der Hand, stellen es auf das Gesims oder die Treppenstufe. Manche unterhalten sich, teils mit niederrheinischem Phlegma, zu jedem Glas ein Satz, teils mit westlichem Temperament, dann hört es sich an, als ob sie sich zanken. Manche sagen nichts, blicken mit verschwommenen Augen ins Leere und wischen sich von Zeit zu Zeit mit dem Handrücken den Bierschaum aus dem fransigen Schnauzbart.

An der abgenützten Wandtäfelung hängt das rote Plakat. Niemand kümmert sich darum.

Nur Rabanus stellt sich davor, tut erstaunt und philosophiert zu den Umstehenden:

„Dreitausend Mark? Nette Stange Geld für den Quatsch. Verdammt juchhe! Das lohnte sich. Schade, daß ich es nicht gewesen bin. Ich tät mir einen suchen, der mich anzeigt, dann die drei oder vier Monate herunterreißen und das Geld mit ihm teilen. Wär schon ein Geschäft!"

Rabanus hat laut gesprochen. Es sollte auch kein Selbstgespräch sein. In diesen Kneipen spricht jeder zu jedem, wie es gerade kommt.

Rabanus hat dabei unauffällig die Leute beobachtet, muß aber feststellen, daß seine geschäftstüchtige Betrachtung keinen Eindruck macht. Die einen haben nicht zugehört und schwatzen weiter, die andern dösen stumpf über ihren Gläsern.

Doch! — Da am Tisch sitzen zwei, die stecken die Köpfe zusammen und fangen an zu flüstern. Flüstern ist hier nicht üblich, nicht einmal bei hoher Politik;

es muß also was Besonderes sein. Rabanus pirscht sich in die Nähe, spitzt die Ohren und ist zufrieden.

„Du, Bätes", sagt der Wimm.

„Wat is", sagt nach einer Weile der Bätes.

Wimms kleine listige Augen leuchten. „Bätes, ich han en Idee."

„Loß mich in Ruh", sagt Bätes.

„Paß emol upp: Die dreitausend Mark täten uns jut, meinste nit?"

„Du bis ja jeck", sagt Bätes.

„Dat mußte nit sage." Wimm zeigt mit dem Daumen auf das Plakat. „Wie wär dat mit uns zwei?"

„Wat?"

„Ich zeig dich an, un du jehs sitze. Wör dat nix?"

„Drecksack", sagt Bätes.

„Nä, ich mein so: Dat Jeld donn mer uns deele. Ich dausendfünfhundert un du dausendfünfhundert."

Bätes erwacht langsam aus seinem Halbschlaf und grinst. „Du Doll, dat jeht doch jarnit."

„Waröm jeht dat nit?"

„Ich han et doch jar nit jedonn."

Wimm rückt nahe an ihn heran. „Du Aap, dat is auch nit nödig. Du bruchs nur zu donn, als hättste dat jedonn. — Verstehste dat nit?"

„Nää."

„Häste noch nie jeloge?"

„Nää."

„Dat jeht äwwer janz jut. Ich jeh bei de Polezei un sag, du hätts dat am Denkmal jemaht. Un du jehs hin un sags Ja. Kannste Ja sage?"

„Ejaa."

Bätes stützt den dicken Kopf mit dem Strubbelbart in die Hände und denkt heftig nach. Resultat: „Wimm, — dat bin ich zu bang."

„Du Jeck, da is auch wat bei! Denk emal, dreidausend Mark, dat sind dreißigdausend Jlas Bier. Oder sechzigdausend Körnches."

„Enää", rechnet Bätes, der Kinderreiche, „dat sind zweidausend Höskes oder dausend Zentner Kartoffele." Er versucht, sich den Berg vorzustellen. Ihm wird schwindlig.

Das ist das Geheimnis der großen Zahl, daß sie unfaßbar, unvorstellbar ist. Dreitausend Mark sind ein unübersehbarer Reichtum für den, der sein Leben nach Groschen rechnet. Vor dreitausend Mark verblassen alle Bedenken. Schon um einen geringeren Preis als einen Berg Kartoffeln sind Tugenden gefallen. —

„Du, Wimm."

„Wat denn?"

„Ich han noch en janz andere Idee."

„ — ? — "

„Mer mache dat jenau umjekehrt: Ich zeig dich an, un du jehs sitze."

„Nä, Bätes, dat is nix."

„Waröm is dat nix?"

„Ich muß doch dat Jeld verwahre. — Un dat Sitze kanns du besser. Du häs ene dickere Popo."

•

Am Abend war beim Goll Atelierfest.

Goll war ein guter Freund von Rabanus und hauste in der Akademiestraße. Sein Atelier war nicht leicht zu finden. Man ging durch einen breiten Flur, dann rechts eine Steintreppe hoch, dann wieder durch einen langen Gang, dann kamen wieder Treppen und Stufen; es war ein richtiger Fuchsbau, in dem sich der gerissenste Gerichtsvollzieher nicht zurechtfand. Und wenn man oben war, wußte man nicht, ob es das dritte oder fünfte Stockwerk war. Es war aber hoch genug, denn höher ging es nicht. Und das Atelier war kein Atelier, sondern ein abgeschlagener Teil eines alten Speichers, schräg und winklig und kompliziert und mit einem Gewirr von Stützen und Balken durchzogen. Daran konnte man Kleider, Bilder und Hausrat aufhängen, und wenn die kleinen Dachfenster nicht genügend Licht zum Malen einließen, mußte man es durch satte, leuchtende Farben wettmachen. So entstand aus der Not ein Stil. Dies war die Eigenart und Zukunft der Gollschen Bilder, daß sie, im dunklen Atelier entstanden, auch im trüben Licht städtischer Wohnräume lachten und leuchteten.

Goll, der sich mit zwei „l" schrieb und mit drei „l" sprach, rheinisch und tief hinten im Hals, hatte auch eine Braut, „dat Anita". Eigentlich war sie Tänzerin. Aber da sie für ihre zierliche Figur einen zu großen Kopf hatte, tat sie keinen Triumphzug um die Erde, sondern hielt dem Goll die Sachen in Ordnung und sorgte für sein körperliches und seelisches Befinden. Und sie war keineswegs damit einverstanden, daß das

Gollsche Atelier gewohnheitsmäßig von exmittierten Kollegen als Not- und Nachtquartier benutzt wurde. Wenn man abends nach Hause kam, stand oft einer wartend vor der Tür oder saß auf der Treppe und war eingeschlafen, so daß man darüber fiel. Aber weggeschickt wurde keiner.

Ein Atelierfest beim Goll ist keine prunkvolle Kostümschau, auch kein byzantinisches Bacchanal. Er hat ein Bild für dreißig Mark verkauft, ein „Aquarellschen", und das verpflichtet. Streng genommen ist es noch gar nicht verkauft, aber jemand hat ihn nach seiner Adresse gefragt, er käme vielleicht mal vorbei und würde sich das ansehen.

Zu einem Atelierfest ergehen keine großartigen Einladungskarten mit „geben sich die Ehre" und „u. A. w. g.". Man sagt es beiläufig einem Kollegen, und dann ist es innerhalb einer Stunde rund auf Grund einer unsichtbaren, mit unheimlicher Sicherheit funktionierenden Verbindung. Und dann kommen sie alle, mehr als alle, sie kommen dreimal soviel als erwartet. Das ist nicht schlimm. Man glaubt gar nicht, wieviel lustige Menschen in einem kleinen Atelier Platz haben. Stühle sind ohnehin nicht vorhanden. Man sitzt auf dem Diwan, auf Kisten und Kästen, die mit Schals und Stoffresten wohnlich gemacht sind; vor allem aber auf dem Boden, wo für die weibliche Bevölkerung als Zeichen besonderer Galanterie Kissen und Decken aufgelegt sind, aber die werden bereits von den Gästen mitgebracht. Der Gastgeber stellt nur den Raum und stiftet, wenn es hochkommt, den

Zucker und das Gefäß für die Bowle, einen großmächtigen Gurkentopf. Für alles Weitere sorgen die Geladenen, so sind sie es gewohnt. Für die umfangreiche Gemeinschaftsbowle, die als flüssiges Eintopfgericht das Zentrum des Festes bildet, bringt jeder eine Flasche Wein mit, die „Arrivierten" auch zwei. Es ist Rheinwein, Moselwein, Saarwein, Rotwein, ein buntes Gepantsch. Aber es tut seine Schuldigkeit, vielleicht gerade darum. Und der lange Päffgen, der doch so geizig sein soll, hat sogar zwei hochvornehm etikettierte Flaschen bei sich, Spätlese und so weiter, tut furchtbar wichtig damit und läßt sie eigenhändig in den Bottich plätschern. Damit keiner merkt, daß es schieres Wasser ist, das er vorher heimlich auf dem Hof eingefüllt hat.

Auch die Kostüme sind sparsam. Das Motto des Festes lautet: Nacht in der Südsee. Das klingt malerisch und ist vor allem billig und läßt sich ohne Samt und Seide mit wenig Kreppapier und viel Haut und Farbe bewerkstelligen. Bis Karneval ist noch ein halbes Jahr, aber der wahre Künstler hat nicht Uhr noch Kalender, sondern Spaß. Zu diesem Zweck bringen sie auch ihre Damen mit, Bräute, Modelle und Zwischenstufen, und jede von ihnen kommt sich wie eine Noa-Noa vor und tut entsprechend. Es ist eine luftige, lustige Weiblichkeit, die dort herumschwirrt, und dazu die vielen Butterbrote mit Leberwurst und Schwartenmagen, und als Gipfelpunkt eine ganze Büchse Bratheringe. Und Lampions und Ziehharmonika, Gitarre, Singsang und Quietschen. Eine Bratpfanne als Gong, dazu „Anitas" Tanz, und auf einmal ist der lange Päffgen außer Rand und Band. Er hat mit unheimlichem Instinkt draußen vor dem Dachfenster in der Regenrinne die Flasche Beaujolais gefunden, die Rabanus und Trude sich für ihren heimlichen Privatbedarf versteckt haben, und will sie nicht mehr hergeben und setzt sie zur Vermeidung von Weiterungen kurzerhand an den Kopf und ahnt nicht, welche Kostbarkeit er in sich schüttet.

Eigentlich sollte man es nicht sagen, daß die Trude mit dabei ist. Es schickt sich nicht, es ist keine Gesellschaft für die Tochter des Staatsanwalts von Treskow, und es war ihr auch schwer genug, zu Hause heimlich auszubüchsen. Es wäre auch gar nicht gegangen, wenn die Billa ihr nicht geholfen und ihr den Hausschlüssel geliehen und ein Kostüm zusammengestoppelt hätte; keineswegs Südsee, sondern genau das Gegenteil und eben deshalb ein ungeheurer Effekt: Alte Möhn mit Kapotthut und Schleier. Rabanus hatte sich lange gesträubt, sie mitzunehmen; aber sie wollte zu gern mal sowas sehen, nur ein kleines, halbes Stündchen, bitte, bitte, und selbstverständlich inkognito. So hat sie ihren kleinen energischen Kopf durchgesetzt. Auf solch einem Atelierfest kann jeder mitbringen, wen und was er will, niemand kümmert sich darum. Und nun ist sie da und mitten dazwischen, die tapfere, lustige Trude, wird nach Art hungriger Modelle liebevoll gefüttert und ist gar nicht zimperlich und macht brav alles mit. Rabanus hat seine helle Freude daran; mit der kann man Pferde stehlen.

Die kleine halbe Stunde ist längst vorbei. Es wird immer lauter und lustiger. Zwei führen Balitänze auf mit Küchenmessern als Schwerter, die Gitarre ist außer Betrieb, weil jemand hineingetreten hat, irgendeiner muß heimlich Schnaps in die Bowle gegossen haben, es geht ziemlich zwanglos zu, die wohlerzogene Trude weiß nicht mehr recht, wo sie hinsehen und nicht hinsehen soll.

Eigentlich ist es Zeit für sie. So meint Rabanus. Aber vorher will er noch einen glanzvollen Jux anstellen. Er hat seinen übermütigen Tag und auch allen Anlaß dazu. Und eben ist ihm ein Einfall gekommen, den er nicht mehr los wird. Er steigt auf eine Kiste, erfuchtelt sich mit den Armen ein mühsames Silentium und proklamiert:

„In zehn Minuten steigt der Glanzpunkt des Abends, die große Riesen-Spezial-Gala-Festvorstellung! Die besten Humoristen der Stadt in garantiert echten Originalkostümen haben ihr persönliches Erscheinen zugesagt! Wir bitten um Stimmung. Applaus! Noch nie dagewesen! Zum ersten und einzigsten Male!"

Wer wird das sein? Die Kunstgewerbler? Akademieschüler? Man klatscht im voraus.

Inzwischen ist Rabanus heimlich verschwunden und hat unten in der Kneipe ein bemerkenswertes Telephonat:

„Ist dort die Kriminalpolizei? — Hier ist jemand, der Ihnen einen guten Wink geben kann. — Jawohl, derselbe. — Bearbeiten Sie die Maulkorbsache? — Dann schicken Sie schnell einige Beamte in das Atelier Goll, Akademiestraße siebzehn, vierter Stock."

Rabanus hört am Telephon, daß sein Gespräch wie eine Bombe in die verschlafene Kriminalpolizei einschlägt. Er hört Rennen, Rufen. Jetzt wird es Zeit. Mit drei Sätzen ist er wieder im Atelier, packt sich seine Trude und will mit ihr verschwinden. Trude bettelt, sie will noch ein bißchen bleiben, noch zehn Minuten, oder wenigstens bis die angekündigten Humoristen kommen. Rabanus kann ihr das nicht so schnell erklären, außerdem ist ihr Mantel weg, ein Witzbold hat ihn versteckt, und ohne Mantel kann sie in dem Kostüm nicht über die Straße. Und als sie glücklich soweit ist und mit Rabanus aus dem Atelier schlüpfen will, hört man bereits den schweren Takt etlicher Polizeistiefel die Treppe heraufkommen. Man muß zurück.

Ein kurzes, derbes Klopfen. Die Tür springt auf, die Polizei marschiert ein in das tobende Atelier.

Die Festvorstellung beginnt:

Und nun ist es genau umgekehrt wie sonst. Man hält die echten Polizeibeamten für eine wohlgelungene Maskerade und benimmt sich dementsprechend, man empfängt sie mit Applaus und Freudengeheul. Die Musik dröhnt einen Tusch, man bewundert die fabelhaften Kostüme und die glänzend geratenen Masken und erwartet, daß sie sich jetzt in Reihe formieren und ein Couplet singen.

Das tun die Männer aber nicht. Sie spielen ihre Rollen mit erstaunlichem Ernst, sie fragen nach den

Namen und durchwühlen Schrank und Kisten, verziehen keine Miene und verstehen merkwürdigerweise gar keinen Spaß; sie wollen keine Bowle und keine Butterbrote, sie lassen sich von den Mädchen nicht küssen, nicht einmal die Bärte kann man ihnen abreißen, sie verbitten sich das ganz entschieden und sind völlig humorlos. Und schließlich werden sie, genau wie echte Polizisten, auch noch ungemütlich, schnauzen und brüllen und fassen die Leute bei den Armen, und das Ende vom Liede ist, daß sie die ganze bunte, quietschende Gesellschaft in den grünen Wagen stopfen und abtransportieren.

Die Maler am Rhein verstehen Feste zu feiern.

*

Das ist eine übermütige Ladung, die der Polizeiwagen durch die mitternächtigen Straßen schaukelt und vor dem Polizeigebäude ausschüttet. Das johlt und quakt und pfeift und singt und hallt durch die schwarzen leeren Gänge und ist nicht zur Ruhe zu bringen. Und hat eine Freude ohnegleichen.

Rabanus und Trude sind etwas zurückhaltender. Endlich ist Kriminalkommissar Mühsam zur Stelle und beginnt, das närrische Häuflein zu sortieren und unter die Lupe zu nehmen. Natürlich die Maler! Daß die Sache aus der Kante kommt, das hat er gleich gedacht, er wollte bloß nichts sagen. Und dazu die beiden anonymen Telephongespräche – ein Glück, daß man auf die dreitausend Mark eingegangen ist. Jetzt hat man die Ernte in der Hand.

„Die Frauenspersonen zurücktreten!"

Die Männer werden einzeln vernommen. Es scheint kein glückhafter Fischzug zu werden. Der Eine war in der fraglichen Nacht bei seinen Eltern in Kassel. Der Zweite lag im Bett, seine Wirtin kann es bezeugen. Der Dritte hat eine Festlichkeit mitgemacht, die bis zum Morgen dauerte. So kann jeder sich über die kritische Nacht ausweisen. Wie sich das für einen gediegenen Staatsbürger ziemt.

Bleibt Rabanus.

Mühsam erkennt ihn sogleich und reckt sich breit vor seinem Schreibtisch. „So. Aha. Sieh mal an. Da wären wir ja! Das hat sich also gelohnt, was? Sie haben wir ja schon lange auf dem Kieker. Nun legen Sie mal los."

„Sie haben mich bereits früher vernommen."

„Tja, mein Lieber, aber das ist heute was anderes. Heute sind Sie nicht Zeuge, sondern —" Er greift ein Formular: Vernehmung des Beschuldigten. Und das ist ein gewaltiger Unterschied: Einem Zeugen wird grundsätzlich alles geglaubt, einem Beschuldigten grundsätzlich nichts.

„Kommen wir gleich zum Kernproblem: Wo waren Sie in der Nacht zwischen zwei und drei?"

Rabanus muß lächeln. „Herr Kommissar, Sie wissen doch, ich ging spazieren und war zufällig Augenzeuge."

„Langsam. Sie geben also zu: Erstens, daß Sie in der Nacht nicht zu Hause waren. Und zweitens, daß Sie sich um die fragliche Stunde in der Nähe des Denkmals herumgetrieben haben."

„Wenn Sie es so nennen wollen. Sonst könnte ich ja keine Beobachtungen gemacht haben."

„Bleiben Sie mir um Gottes willen mit Ihren Beobachtungen vom Halse! Erst war es der große schlanke Herr mit steifem Hut und einem Hund, dann war es ein kleiner dicker Arbeiter mit Mütze und Bart. Also, das kennen wir. Was hatten Sie überhaupt um die Zeit auf der Straße verloren?"

„Auch das habe ich schon gesagt: Ich ging spazieren."

„Gegen nächtliche Spaziergänger sind wir hier grundsätzlich mißtrauisch, Herr. Anständige Menschen liegen nachts im Bett! — Haben Sie einen Hund?"

„Nein."

„Aha! Habe ich mir gedacht. Darum haben Sie bei Ihrer ersten Vernehmung dem Täter einen Hund angedichtet. Übrigens haben Sie bei der Staatsanwaltschaft schon zugegeben, daß der Täter ohne Hund war. — Was sind Sie von Beruf?"

„Künstler."

„Künstler ist kein Beruf, sondern eine Ausrede. Wovon leben Sie?"

„Ich male, ich zeichne, ich schreibe. Bin unter anderm ständiger Mitarbeiter des ‚Simplizissimus‘."

„Was? Sie arbeiten für ein Witzblatt?" Mühsam ist knallrot vor Eifer. „Da sind wir ja an der richtigen Ecke. — Wenn wir nun schon so weit sind, wollen wir jetzt nicht auch das — andere zugeben?"

„Welches andere?"

„Das mit dem Denkmal. — Wir wollen mal vernünftig reden, wir sind hier keine Unmenschen, und schließlich hat man auch Sinn für Humor, nicht wahr? Ich kann mir das gut vorstellen. Sie waren stark betrunken, wußten nicht, was Sie taten, Paragraph einundfünfzig und so weiter, man weiß ja, wie das kommt. Mal sehen, was sich machen läßt. — Nun sagen Sie schon ‚ja‘, dann können Sie nach Hause gehen.“

„Bedaure.“

„Ich meine es gut mit Ihnen. Aber Sie müssen es wissen. Wenn Sie nicht wollen — tja, dann können Sie mal eine Zeitlang in Ruhe und Abgeschiedenheit darüber nachdenken. Sie verstehen mich doch?“

„Ei natürlich, das erprobte Rezept: Untersuchungshaft zur Erpressung von Geständnissen.“

„Aha!“ donnert Mühsam, „da habe ich Sie! Damit geben Sie also zu, daß Sie etwas zu gestehen haben.“ Er schreibt in die Akten. „Übrigens scheinen Sie merkwürdig gut Bescheid zu wissen. Sind Sie vorbestraft?“

„Nein.“

„Aha! Also immer so durchgewischt! Gerissener Bursche, was? — Kein Wunder, daß der gute Sedan da nicht mitkam.“ Er zerdrückt eine heimliche Träne. „Sie bleiben natürlich hier!“

„Wie hier? Wieso hier?“ Rabanus hat längst begriffen, aber es will ihm doch nicht in den Kopf. Und was ist mit Trude? Er sieht sich um. Da stehen seine Freunde, hilflos und verdattert; keiner traut sich zu rühren oder einen Ton zu reden; vielleicht ist jeder froh, daß es ihn nicht trifft. Und dahinten stehen auch die lustigen Mädels, frierend und verschüchtert wie arme Hühnchen, und hinter ihnen Trude, deren Gesicht er unter dem Schleier nicht sehen kann.

Rabanus wird abgeführt. Die andern dürfen gehen. Nein, die Frauenspersonen noch nicht. Mühsam will wenigstens die Personalien feststellen.

„Sie dahinten, kommen Sie doch mal her! Tun Sie zunächst mal den Schleier vom Gesicht. Und die Hände runter! Verstehen Sie kein Deutsch? Sie sollen die Fahne vom Gesicht — — oh, pardon!!"

*

Der letzte Gast bei Tigges am Treppchen?

Staatsanwalt von Treskow hätte das durch einen Beamten bei Frau Tigges feststellen können. Dann würde man den Betreffenden vernehmen und ihn, falls er leugnen sollte, der Frau Tigges und den anderen Gästen gegenüberstellen und allmählich einkreisen und überführen. Das würde etliche Tage in Anspruch nehmen, der Täter hätte vielleicht Gelegenheit zur Flucht; außerdem würde man nachher nicht mehr wissen, wem der Erfolg zuzuschreiben ist.

Treskow macht das anders. Er will die Sache durch einen schneidigen Generalangriff schmeißen, mit einem dramatischen Schlußeffekt, wie es seinem Temperament entspricht: Er hat die sämtlichen Zecher des denkwürdigen Abends vorgeladen und wird sie persönlich vernehmen. Nur auf diese Weise, belehrt er seinen Referendar, erhält man ein klares Bild und den unmittelbaren starken Eindruck.

Obgleich diese Vernehmung ihm persönlich etwas peinlich ist. Es sind immerhin Leute, die er kennt oder mit denen er jedenfalls am gleichen Tisch gesessen hat. Aber das darf ihn nicht abhalten. Einer von ihnen muß als Letzter gegangen sein; das wird sich jetzt herausstellen, und diesen Letzten wird er zur Strecke bringen, unerbittlich und ohne Ansehen der Person. Wahrscheinlich sogar vom Fleck weg verhaften. Draußen warten bereits zwei Polizeibeamte mit den nötigen Instruktionen und Vorkehrungen.

Referendar Thürnagel soll Protokoll führen. Er ist nicht sonderlich erbaut davon und macht ein merkwürdig verdutztes Gesicht; tut, als wenn er etwas sagen wollte, und würgt es wieder hinunter.

Inzwischen erscheint Mühsam, rot und strahlend und berichtet über seinen nächtlichen Fang. Er erwartet, daß Treskow ihm um den Hals fällt oder wenigstens wohlwollend auf die Schulter klopft; statt dessen sagt Treskow: „Ganz nett soweit." Er hat nur mit einem Zehntel Ohr hingehört und außerdem prinzipielles Mißtrauen gegen alles, was von Mühsam kommt.

Der letzte Gast.

Zehn Uhr. Die Herren von Tigges sind vollzählig da.

Es sind sogar zwei zuviel. Obgleich diese beiden eigentlich keine Herren sind und auch nicht nach Tigges aussehen. Übrigens warten sie bereits seit neun

Uhr und haben sich für diesen Gang offenbar fein gemacht. Der große Hagere trägt einen hellen Sommermantel, der bis auf die Mitte des Oberschenkels reicht, mit eingerissenen Knopflöchern und ausgefransten Kanten. Der kleine Dicke hat sich in einen vielfach vererbten Schützenfestgehrock geklemmt, der vorn nicht gut zugeht und hinten im Schlitz auseinanderklafft.

Nein, geladen wären sie nicht. Aber sie hätten etwas sehr Wichtiges, und ob sie vielleicht den Herrn Staatsanwalt — ?

Warten! Der Herr Staatsanwalt ist besetzt.

Und wie lange die Gerichtskasse offen wäre?

Man beachtet sie nicht. Man hat Besseres zu tun.

Treskow beginnt mit der Vernehmung der Zecher. Sie sind erstaunt, sich hier zu finden, und verdecken ihre Befangenheit durch verkrampfte Jovialität. Dafür ist Treskow um so eisiger; er nimmt die Personalien auf, fragt, was er längst weiß, und ist ganz Amtsperson. Er tut, als kenne er keinen; sie tun mit und verstehen den Unterschied zwischen Schenke und Amtszimmer.

Es fängt ganz harmlos an. Die Herren wissen nicht, worauf es ankommt, und sollen es auch nicht wissen. Wer ist als Letzter gegangen? Treskow fragt es so nebenbei, mit jenem Unschuldsgesicht, das er sich für solche Fälle zugelegt hat.

Ja, das ist schwer festzustellen. Jeder ging, als er schon tüchtig Bettschwere hatte; keiner kann genau sagen, wer zurückblieb.

„Übrigens waren Sie doch selbst dabei, Herr Staatsanwalt." Das sagt natürlich wieder der Zahnarzt; der Mann hat keine Manieren und stößt die Schranke ein, die zwischen ihm und dem Vertreter des Staates gesetzt ist.

„Meine eigenen Beobachtungen", weist Treskow ihn zurecht, „stehen hier nicht zur Erörterung. Ich möchte es von Ihnen hören, beziehungsweise von Ihnen bestätigt haben." Der alte Trick: Man tut, als ob man schon weiß.

Auch das hilft nicht. Die Herren sehen sich hilfesuchend an, zucken die Achseln. Keiner entsinnt sich. Man weiß nur, daß es riesig fidel war.

Am besten fragt man Frau Tigges. Die muß es wissen, sie hat wahrscheinlich abgeschlossen und das Licht gelöscht.

Frau Tigges wird hereingeholt. Die Herren müssen draußen warten. Es wird zu einer Gegenüberstellung kommen. Wahrscheinlich noch zu ganz etwas anderem, denkt Treskow.

Merkwürdig, daß die Frau mit der Sprache nicht heraus will. Ist es weibliche Befangenheit? Als Weinwirtin ist man nicht zimperlich. Stellt sie sich dumm, um einen der Herren draußen zu schonen?

Wer als Letzter gegangen ist? Es war natürlich schon recht spät, und das mit der Polizeistunde würde doch nie so genau genommen, und es waren auch nur Stammgäste und bessere Herren.

Treskow läßt sich nicht vom Thema bringen und klopft auf den Tisch. „Reden Sie nicht um die Sache herum, Frau Tigges. Sie machen sich verdächtig. Es handelt sich hier nicht um die Polizeistunde, sondern um den letzten Gast."

„Gewiß, Herr Staatsanwalt, ich weiß schon, aber der Herr Staatsanwalt waren vielleicht etwas angeregt und wollten auch die Flasche Wein noch zu Ende trinken."

„Ich will nichts von mir wissen", sagt Treskow. „Ich will wissen, wer als Letzter gegangen ist."

Er ist unerbittlich, Frau Tigges kann nicht länger ausweichen: „Als Letzter gegangen? Wenn der Herr Staatsanwalt sich vielleicht nicht mehr erinnern sollten, dann müssen der Herr Staatsanwalt gütigst entschuldigen, es schlug eben halb drei, und die Frieda weiß es auch, und das wäre doch nicht schlimm und ginge keinen was an —"

„Also, wer war der Letzte?" donnert der Staatsanwalt.

„Sie!"

„Wer, sie?"

„Sie selber!"

„Ich? — Wieso ich?"

„Ja, bitte. — Und dann habe ich die Tür —" Frau Tigges bleibt mitten im Satz stecken. Was ist mit dem Herrn Staatsanwalt? Soll man ihm ein Glas Wasser reichen? Oder das Fenster öffnen? Auch der Herr Referendar sieht so merkwürdig drein und wird immer kleiner. Sie fühlt, es muß etwas Furchtbares sein, das sie angerichtet hat. Sie ist eine gute Frau und will es wieder in die Reihe bringen. Die Herren müssen gütigst entschuldigen, sie kennt sich doch nicht aus mit dem Juristischen, und das wäre nicht böse gemeint, und so genau könne sie das nicht mehr sagen, und mit der Frieda wolle sie ein vernünftiges Wort reden. Auch Thürnagel will helfen. Er hat das eben nicht mitbekommen beim Protokoll, es sei ihm überhaupt nicht wohl, und ob man die Vernehmung nicht vertagen solle, inzwischen habe Frau Tigges Zeit, sich das nochmal zu überlegen.

Alle wollen helfen.

Treskow sieht es nicht oder will es nicht sehen. Er schickt Frau Tigges und den Referendar hinaus. Seine Stimme donnert nicht mehr, sondern ist wie mit Mehl bestaubt.

Dann ist er mit sich und seinem Aktenstück allein.

Ein kalter Schweiß ist ihm ausgebrochen. Er sieht noch einmal die Aussage der gutsituierten Dame durch und überdenkt, was Frau Tigges gesagt hat. Er war der letzte Gast — der letzte Gast war der Täter; die Gleichung stimmt. Er träumt nicht, es ist alles richtig um ihn, das ist sein Zimmer, auf dem er seit achtzehn Jahren sitzt, dort liegt das gelbe Aktenstück und grinst ihn an, und auf dem Deckel steht immer noch: Gegen Unbekannt.

Jetzt hat er ihn. Kein Wunder, daß es etwas lange gedauert hat. Wenn man hinter sich selbst herläuft, ist es nicht leicht, sich einzuholen. Eigentlich eine kriminalistische Meisterleistung, auf die er stolz sein könnte. Er versucht zu lachen; es erfriert auf seinem Gesicht.

Er rennt durchs Zimmer.

Was ist geschehen?

Eigentlich noch gar nichts. Die Aussage der Frau Tigges ist nicht protokolliert, der Referendar ist nicht mitgekommen, und Frau Tigges will es sich nochmal überlegen. Wenn man es geschickt anfaßt, zerrinnt es im Sande. Noch ist er Staatsanwalt, noch hat er die Fäden in der Hand und kann sie wieder verwirren. Nicht jeder Täter hat das Glück, sein eigener Staatsanwalt zu sein.

Wieder versucht er zu lachen. Diesmal gelingt es beinahe. Dann aber bläst er seine traumhaften Gedanken fort und atmet tief. Und das durch Generationen in Pflicht und Disziplin geschulte Beamtengehirn schnappt ein und arbeitet wie ein Präzisionsmechanismus.

Er weiß, was ein Treskow zu tun hat. Er ist ganz ruhig, seine Hände zittern nicht mehr. Er räumt seinen Schreibtisch auf, nimmt sein persönliches Eigentum an sich, die kupfergetriebene Aschenschale, den nie benutzten Brieföffner, das bronzegerahmte Familienbild, stellt die Bücher gerade und die Stühle zurecht. Im Schrank hängt seine schwarze Samtrobe mit dem Barett; das mag hierbleiben, er wird es nicht mehr brauchen.

Dann geht er zum Obersekretär und liefert die Schlüssel ab.

Draußen warten noch die beiden Leute, respektive Männer.

Sollen wiederkommen.

Sie tun aber sehr dringlich.

Bedaure.

Treskow betrachtet sich als nicht mehr zuständig, nicht mehr im Amt befindlich. Er nimmt seine Maulkorb-Akten, Hut und Mantel und begibt sich zu seinem Oberstaatsanwalt.

*

Der Herr Oberstaatsanwalt ist nicht anwesend. Er befindet sich auf einer Inspektionsreise und wird am Nachmittag um vier zurück sein.

Eine einfache Tatsache, durchaus nichts Ungewöhnliches. Aber sie geht Treskow nicht in den Kopf; er kann nicht warten, kann die Sache nicht länger mit sich tragen.

Er weiß genau, was kommt. Es ist gewissermaßen amtlich vorgeschrieben. Der Oberstaatsanwalt wird erschüttert sein, aber Haltung bewahren, ihm vielleicht mitleidvoll die Hand drücken und leise den grauen Kopf schütteln. Dann wird er kühl das Dienstliche erledigen, ein kleines, inhaltschweres Protokoll aufnehmen, ihn vorläufig des Amtes entheben und einen anderen Kollegen mit der Bearbeitung der Sache und der Erhebung der Anklage betrauen. Verhaften — nein, verhaften wird man ihn nicht. Und dann wird die Verhandlung kommen, und man wird ihn verurteilen, vielleicht wegen sinnloser Trunkenheit freisprechen. Sofern er es bis dahin überhaupt kommen läßt.

Er weiß alles im voraus und kann es doch nicht erwarten. Ihm ist zumute wie einem Verurteilten, dem man morgens auf dem Schafott eröffnet, daß der Herr Scharfrichter erst nachmittags um vier kommen wird.

Treskow geht nach Hause. Langsam. Er hat Zeit, viel Zeit, fast fünf Stunden. Vor der Haustür bleibt er stehen. Man wird ihm etwas anmerken. Natürlich wird man es ihm anmerken. Trude wird fragen; Elisabeth wird in ihn dringen, und er wird nicht ausweichen können. Mit sich selbst wird er fertig werden, aber wie soll er es ihnen beibringen? — Er steckt den Schlüssel wieder ein und kehrt um. Er will nicht ins Haus; jetzt nicht. Vielleicht später. Er wird in der Stadt essen, in einem Gasthaus, wo man ihn nicht kennt. Auch das ist nicht nötig, er hat keinen Hunger, wird nichts herunter bekommen.

Er wird spazieren gehen. Die frische Herbstluft tut ihm gut. Sein Kopf wird freier. Aber nun sieht er alles noch deutlicher, unerbittlicher. Er will nicht denken; er braucht es auch nicht, es wird sich alles automatisch abspielen. Er läuft sinn- und planlos durch die Stadt, kommt in Straßen, die er nicht kennt, sieht graue, traurige Häuser mit kahlen Fenstern und dürftigen Vorhängen, verwahrloste Kinder, die haufenweise auf der Straße spielen und ihm etwas nachrufen, was er nicht versteht. Er kommt an Baustellen und Plätze, auf denen Müll und Unrat abgeladen wird, an geteerte Bretterzäune mit albernen Kreideaufschriften. Er befindet sich in dem Gürtel, wo die Stadt schon aufhört und das Land noch nicht beginnt.

Er hat sich müde gelaufen und kehrt um. Da ist ein staubiger Kinderspielplatz mit ein paar armseligen Bäumchen, die einen durchlöcherten Schatten auf den schwarzen Boden werfen. Auf den Bänken haben die Kinder ihre Sandförmchen ausgestülpt. Treskow wandert weiter; er kann sich kaum noch auf den Beinen halten. Schließlich geht er in eine Vorstadtkneipe, fällt müde auf einen Stuhl und bestellt sich einen Kognak, den er nicht trinkt. Er ist der einzige Gast. Eine dicke Frau hinter dem Schanktisch liest Zeitung und betrachtet ihn neugierig. Er paßt nicht hierher; für was mag sie ihn halten? An der Wand hängt auch sein Plakat mit den dreitausend Mark. Wer wird sie bekommen? Die gutsituierte Dame? Oder Frau Tigges? Nein, Frau Tigges wird sie nicht nehmen.

Dabei fällt ihm plötzlich ein, daß er noch keinen Grund hat, sich vor den Menschen zu verkriechen. Noch weiß es niemand, noch zeigt keiner mit dem Finger auf ihn. Er bestellt sich einen Wagen und fährt in die Stadt zurück. Im „Rebstock" nimmt er ein erlesen zusammengestelltes Mahl zu sich, an dem ovalen Tisch, wo er schon manches frohe Ereignis gefeiert hat. Heute ist es ein kleiner, einsamer Abschied. Übrigens hat er Hunger bekommen und wundert sich.

Zehn vor vier. Es ist soweit. Er gießt den Mokka herunter und geht zum Justizgebäude. Merkwürdig fremd und feindselig mutet ihn alles an, die schwere Tür, die graue, ausgetretene Steintreppe, der kahle

Gang, das nüchterne Vorzimmer mit dem Bild dessen, an dem er sich vergangen hat. Hier hat er sich damals zum Dienstantritt gemeldet. Vor achtzehn Jahren.

*

„Herr Oberstaatsanwalt, ich komme zu Ihnen —"

„Aber, mein lieber Treskow, nehmen sie doch erst mal Platz."

„Gewiß ja, danke sehr. Entschuldigen Sie meine Erregung, ich kann Ihnen — ich darf vielleicht — ich muß zunächst —"

„Herr Kollege, vielleicht überlegen Sie zunächst in Ruhe, was Sie mir zu sagen haben."

„Herr Oberstaatsanwalt, es ist nichts mehr zu überlegen, und ich hätte diesen schweren Gang schon längst getan, wenn ich gewußt oder auch nur geahnt hätte —"

„Herr Staatsanwalt — ich weiß noch nicht, um was es sich handelt. Ich will es vorläufig auch nicht wissen. Ich möchte Sie nur dringend bitten, nichts übereilt zu tun. Sie sind erregt, und es besteht die Gefahr, daß Sie sich die Sache nicht genügend überlegt haben. Es geht unter keinen Umständen an, daß ein Beamter auf Grund vager Vermutungen — bitte mich nicht zu unterbrechen — auf Grund vager Vermutungen oder jedenfalls ohne hinreichenden Anlaß etwas tut, was nicht mehr rückgängig zu machen ist und in der Öffentlichkeit peinlichstes Aufsehen erregen, beziehungsweise das Ansehen unserer Behörde auf das schwerste erschüttern könnte. Sie wissen, was eine Behörde ist? Eine mehr oder weniger zweckmäßige Einrichtung zur Erledigung staatlicher Aufgaben. Sie hat deswegen die Pflicht absoluter Sauberkeit. Wenn das Staatswohl aber eine gewisse — Korrektur von Dingen verlangt, die sonst Grundsatz sind, so haben alle Bedenken zurückzustehen. Ein Beamter, der das nicht begreift, oder ein Beamter, der nicht den Mut zur Verantwortung hat, ist kein Staatsdiener, sondern ein Bürokrat, ich möchte fast sagen, eine Aktenbearbeitungsmaschine. Dies nebenbei und nur ganz theoretisch und allgemein. — Nun, Herr Staatsanwalt, ich hatte Sie wohl unterbrochen —"

Treskow ist das Wort im Munde erfroren, und es dauert eine ganze Weile, bis er sich von seinem Schrecken erholt hat. "Herr Oberstaatsanwalt, ich habe reiflich überlegt und bin mir über die Folgen klar. Ich muß Ihnen trotzdem eine Eröffnung machen —"

"Augenblick, Herr Kollege. Was ist denn da los?"

In der Tat hörte man aus dem Vorzimmer Töne, die an diesem ehrfurchtgebietenden Ort nicht üblich sind, ein heftiges Wortgefecht rauher Kehlen: "Wo jeht et herein?" — "Sie hören doch, Sie müssen warten." — "Dafür hammer kein Zeit." — "Es ist jemand drin." — "Dä kann ja eraus jonn." — "Aber Sie können doch nicht einfach —" — "Paß emol upp, wat mer könne."

Und schon platzt die Tür auf, und herein stolpern Wimm und Bätes, die den ganzen Vormittag vergeb-

122

lich bei Treskow gesessen haben und nun kurzerhand zum Oberstaatsanwalt vorgedrungen sind.

Nun sind sie da und lassen sich nicht abwimmeln. Übrigens scheint es nicht unwichtig, was sie auf dem Herzen haben. Es ist wegen der Maulkorbsache, und es trifft sich gut, daß der Sachbearbeiter von Treskow zufällig anwesend ist.

„Also, was ist los? Zunächst: Wer sind Sie überhaupt?"

Wimm stellt sich vor: „Wilhelm Donnerstag, Agent."

Und Bätes: „Albert Schmitz, verheiratet."

„Und nun bitte. Aber einer nach dem andern."

Wimm macht den Wortführer, Bätes das Echo. Wimm hat den Bätes in der Nacht beobachtet, wie er das am Denkmal gemacht hat, und der Bätes sagt ja. Der Wimm erzählt es mit allen Einzelheiten und schwört auf Ehre und Gewissen und spricht vor Begeisterung fast hochdeutsch. Und der Bätes gibt alles zu, was man von ihm haben will, bricht in heiße Reuetränen aus und schimpft auf Wimm, den fahlen Hund und Verräter, und will es nie mehr wieder tun. Sie haben ihre Rollen gut einstudiert, es klingt einigermaßen plausibel, und der Bätes paßt auch ganz gut auf die Beschreibung, die Rabanus beim Staatsanwalt gegeben hat: Untersetzt, Arbeiterstand, Mütze, Bart.

Treskow hat noch leise Zweifel. „Sagen Sie mal, besitzen Sie einen Hund?"

„Enää, mer han selber nix zu fresse."

„Wie kommen Sie dann an den Maulkorb?"

Bätes weiß es nicht und blickt flehend zu Wimm. Der weiß es auch nicht.

Der Oberstaatsanwalt scheint es zu wissen.

„Vielleicht haben Sie ihn auf der Straße gefunden?"

„Jenau so is et, Herr Kriminal."

Majestätsbeleidigung in Tateinheit mit Fundunterschlagung, registriert Treskow. Und dann zu Wimm: „Dann waren Sie das wohl, der wegen der Erhöhung der Belohnung bei uns angerufen hat?"

Wimm kann den Blick nicht aushalten und weiß nicht recht; auf die Frage ist er nicht präpariert. „Jewiß. — Wat war dat denn?"

Der Oberstaatsanwalt winkt ab. „Verstehe. Wir wollen das diskret behandeln, wenigstens in Anwesenheit Ihres Freundes."

Aber nun hat Treskow plötzlich ein Bedenken. Es ist immerhin auffallend, daß Denunziant und Täter gemeinsam, fast Arm in Arm, hier erscheinen. Er flüstert mit dem Oberstaatsanwalt, und der wendet sich an Bätes: „Der Herr Staatsanwalt fragt, warum Sie mitgekommen sind."

Bätes weiß wiederum nicht, aber diesmal weiß es der Wimm. „Dä is nit mitjekomme; dä han ich mitjebracht, hier beim Schlafittche. Männeke, han ich för ihm jesag, Männeke —"

Schon gut. Die Leute können gehen. Das Weitere werden sie demnächst vor Gericht erzählen, Bätes als Angeklagter, Wimm als Zeuge. Von einer Verhaftung wird Abstand genommen. Überhaupt wird Bätes besser behandelt, als er sich vorgestellt hat. Die beiden

Staatsanwälte begleiten ihn zur Tür. „Wir freuen uns, Herr Schmitz, daß Sie durch Ihr offenes und reumütiges Geständnis der Justiz die Arbeit erleichtern; bei der Strafzumessung wird Ihnen das zugute kommen. Auf Wiedersehen."

Dem Staatsanwalt von Treskow ist zumute, als müsse er sich mit beiden Fäusten vor den Kopf schlagen. Da hätten seine überreizten Nerven beinahe etwas angerichtet!

Rabanus hatte die Nacht in der Haftzelle unbequem, aber ohne Groll verbracht. Er hatte es sich selbst eingebrockt, und es war auch recht lehrreich. Es ist für einen Künstler von Nutzen, wenn er auch die Tiefen des menschlichen Lebens durchschreitet.

Es gab eine Enttäuschung. Er hatte erwartet, daß alles anders sei, als er erwartete, milder oder grausamer, komfortabler oder spartanischer, jedenfalls irgendwie anders. Und nun war gar nichts anders; es war genau so, wie es sich jeder vorstellt: eine kleine, ölgestrichene Zelle, ein vergittertes Fenster, ein Klappbett an der Wand, dazu Schemel und Holztisch, und das Essen nicht besser und nicht schlechter, als man in diesem Lokal verlangen kann, und der Wärter weder leutselig noch schnauzbärtig, allenfalls ein bißchen eilig. Reinfall auf ganzer Linie, konstatierte Rabanus.

Ein Glück, daß der Scherz nicht lange dauern konnte. Wimm und Bätes waren vor ihm gestartet und wollten um neun zur Staatsanwaltschaft, wie er erlauscht hatte. Zwischen zehn und elf muß also seine Freilassung erfolgen. Ein hübsches Spiel des

Zufalls, dachte Rabanus, daß diese Wimm-Bätes-Aktion nun ihm selbst zugute kam. So rentiert sich die Tugend.

Sie schien diesmal eine Ausnahme zu machen. Es wurde elf, es wurde zwölf. Anstatt der Freilassung erschien ein großer Blechnapf mit einem gekochten Mischmasch, der bestimmt sehr nahrhaft war, aber von Rabanus nicht berührt wurde, und dann kam eine Weile gar nichts, nur aus der Nebenzelle ein mörderisches Schreien und Toben, offenbar von einem, der den wilden Mann machte oder tatsächlich wild geworden war; wer will das wissen? Schon fühlte er selbst, wie die Zellenhaft den Menschen ändert. Und nicht unbedingt zu seinem Vorteil. Eine beißende Wut fiel ihn an. Mit welchem Recht hat man ihn verhaftet? Weil er in jener Nacht nicht zu Hause war? Oder weil man bisher nur Mißerfolg hatte und der ungeduldigen Öffentlichkeit einmal zeigen will, daß die Justiz auf der Höhe ist?

Bei ihm war man an den Falschen geraten. Er konnte auspacken, wenn er wollte, und diesen aufgeblasenen Staatsanwalt, der ihm wie einem Hausierer die Tür gewiesen hatte, von seinem Sockel herunterholen. Um Trude freilich tat es ihm leid. Aber nüchtern besehen: Von dem hochgestochenen Staatsanwalt von Treskow würde er sie nie bekommen; der gestrandete Beamte würde mit sich reden lassen. Ein häßlicher Gedanke kroch ihn an; er spielte mit ihm, jonglierte mit Möglichkeiten und malte sich die Wirkung aus, verrannte sich tiefer hinein, und ehe er sich recht klar darüber war, hat er den Wärter gerufen.

Er habe eine wichtige Aussage zu machen und bitte um seine sofortige Vernehmung.

Jetzt wird er tun, was eigentlich von vornherein seine verdammte Pflicht und Schuldigkeit als Zeuge und Staatsbürger gewesen wäre.

— Nach Stunden, gegen halb fünf, kam ein Beamter.

„Ich habe es mir anders überlegt", sagt Rabanus, „Sie können wieder gehen. Ich mache keine Aussage."

„Aussage? Wieso Aussage? Ich sollte Ihnen mitteilen, daß der Haftbefehl aufgehoben ist. Sie können nach Hause gehen."

Als Rabanus fort ist, entdeckt man auf der Wand der Zelle eine seltsame Zeichnung: Sein Selbstporträt — mit einem Maulkorb.

*

Wimm und Bätes hatten Hand in Hand, wie zwei glückliche Kinder, das Justizgebäude verlassen, aber sie gingen nicht nach Hause. Freudige Ereignisse werden begossen. Dreitausend Mark, die bevorstehen, sind ein freudiges Ereignis.

Der Bätes soll einen ausgeben. Meint der Wimm.

Nein, der Wimm muß einen ausgeben, meint der Bätes.

Wer muß? Wer das bessere Geschäft macht. Darüber sind sie sich einig.

Wer macht das bessere Geschäft? Darüber geraten

sie in die Wolle, stehen an der Straßenecke und diskutieren.

Natürlich der Wimm. Der hält bloß das Händchen auf und geht spazieren und hat keine Arbeit davon, und der Bätes muß sitzen.

Nein, der Bätes! Er sitzt faul im Kasten und frißt sich fett auf Staatskosten, während der arme Wimm draußen sein Geld aufzehrt.

Sie kämpfen mit dicken Köpfen und scharfen Argumenten. Nicht aus Geiz, nicht aus Prinzip: sondern weil keiner einen Pfennig in der Tasche hat. Als sie es gegenseitig feststellen, ist die alte Freundschaft wieder da. Man muß das Fest vertagen, bis das viele Geld kommt.

Wer wird es abholen? Natürlich der Wimm, das geht nicht anders. Und der muß es verwahren, bis der Bätes aus dem Kittchen kommt.

Bätes wird nachdenklich. Er hat mit Geld noch nie zu tun gehabt und infolgedessen zu den Menschen ein paradiesisches Vertrauen. Reichtum macht mißtrauisch. Er hat Angst, der Wimm könnte das Geld verlieren, oder es möchte ihm gestohlen werden, oder was sonst alles passieren kann. Wimm soll das Geld in Verwahr geben.

Vielleicht auf eine Bank, meint der Bätes.

Wimm ist dagegen. Die Bank könnte krachen.

Oder auf die Städtische Sparkasse?

Wimm schüttelt den Kopf. Er weiß nicht, wo sie ist.

Oder einem Freund geben?

Wimm zieht ein saures Gesicht. Für soviel Geld

ist keine Freundschaft gut. Und wo die Menschen so schlecht sind!

Dann soll er es zum Herrn Pastor bringen.

Wimm hat zum Herrn Pastor keine Beziehungen, und der würde ihn vielleicht ausfragen, und den Herrn Pastor könne er nicht belügen. „Ich weiß auch nit, wat dat soll. Dat Jeld is bei mich sicher wie Jold. Ich bin loßledig, ich han kein Ahl, die mich drüber jeht. Ich stopp dat Jeld unger de Matratz un stonn Tag un Nacht nit meh upp."

So stehen sie an der Ecke und fechten, daß die Leute stehen bleiben. Bätes besteht auf Pastor, Wimm auf Matratze. Schließlich spielt Bätes seinen großen Trumpf aus. Die Herren am Gericht waren so freundlich zu ihm, er weiß, was er wert ist. „Wimm, dat will ich dich sage, ich bin de Hauptperson, ohne mich jeht et nit, un du bis ene Dreck. Und wenn de mich dumm kömms, dann jeh ich einfach nit in der Termin. Dann tret ich in Streik. Verstehste dat?"

Wimms Augen funkeln grün und giftig. „Wetten, Bätes, dat du im Termin bis?"

„Wetten dat nit?"

„Wetten dat doch!"

Kinder stehen herum. Sie hoffen auf eine Schlägerei. Man glaubt gar nicht, wieviel Kinder es gibt, kleine und große. Sie wachsen aus der Erde.

Es wird eine Enttäuschung. Wimm und Bätes bewahren Haltung.

„Du Laumann!"

„Du Drecksack!"

„Pennes!"

„Aaschloch!"

Nach verschiedenen Seiten ab.

*

Am nächsten Morgen meldete sich die gutsituierte Dame von neuem. In Glanz und Glacé und grell und wohlriechend wie beim erstenmal, vielleicht noch eine Kleinigkeit situierter und genau zehnmal so aufgeregt. Mit einer widerspruchslosen Selbstverständlichkeit marschiert sie geradewegs in Mühsams Zimmer und überfällt den Nichtsahnenden und läßt ihn nicht zu Wort kommen.

„Entschuldigen Sie herzlichst, mein lieber Herr Kommissar, daß ich wieder da bin, es ist nur in Ihrem Interesse, nicht wahr, ich habe doch richtig gelesen, daß die Belohnung auf dreitausend Mark erhöht ist, aber Sie müssen nicht denken, so bin ich nicht erzogen, und mein Mann meint das auch, obgleich man es immer brauchen kann bei dem schlechten Geschäftsgang, das letztemal war ich etwas nervös, ich habe noch nie mit Polizei und so zu tun gehabt, aber das macht nichts, man hat Pflichten gegen den Staat, der so nett für alles sorgt, mein Mann ist nämlich viel auf Reisen, und das weiß er auch, und was ist groß dabei, nicht wahr, die Hauptsache ist, was ich gesehen habe, das meint auch mein Mann, und es braucht auch nicht an die große Glocke, aber Sie müssen nicht denken, daß es wegen dem Geld ist; haben Sie mein Bankkonto notiert?"

Mühsam hat mit Armen und Beinen gegen den

Wortschwall gerudert und benutzt die Atempause hinter dem Bankkonto. „Meine liebe Dame", sagt er, „da kommen Sie nun zu spät. Ihre Aussage interessiert nicht mehr. Inzwischen ist es der Tatkraft und dem Scharfsinn der Polizei gelungen, den Täter zu ermitteln. Die Belohnung wird ein anderer bekommen, und am siebzehnten ist bereits Verhandlung."

Da geht die Situierte in die Höhe, pflanzt sich drohend vor dem Beamten auf und vergißt all ihre Situiertheit, daß ihr die Stimme überschlägt und dem im Dienst erhärteten Beamten Hören und Sehen vergeht:

Das wäre ja noch schöner, da höre sich doch der Gurkenhandel auf, erst einen aushorchen und ausquetschen bis aufs Blut und die intimsten Familiensachen dazu, daß man schamrot wird bis wer weiß wohin, und dann auf einmal, wenn man alles heraus hat und so weiter und mit dem Geld, das könne sie sich schon denken, und er sei wirklich ein feiner Mann, der Herr Kommissär und ein gebildeter Mann, und die ganze Polizei könne ihr, aber das sei Nebensache, und das lasse sie sich auch nicht bieten, und wenn sie bis zum Minister ginge.

*

Staatsanwalt von Treskow war ein Mustergatte und Mustervater. Vor allen Dingen ein Musterbeamter, und darum sprach er zu Hause nie über amtliche Dinge.

Nicht einmal über den gefundenen Täter Bätes.

Es fiel ihm schwer, seine überschäumende Freude zu verbergen. Er freute sich wie ein Kind darauf, daß seine Familie den Triumph seiner staatsanwaltlichen Tätigkeit am nächsten Morgen in der Zeitung lesen würde. Er konnte nicht früh genug aufstehen, und dann hielt er beim Kaffee die Zeitung so, daß Frau und Tochter die fette Schlagzeile lesen mußten. Und dann kam das, worauf er schmunzelnd wartete: Die beiden Damen rissen ihm die Zeitung aus der Hand, stießen einen zweistimmigen Jubel aus und balgten sich um das Blatt und lasen mit verhaltenem Atem: Denkmalattentäter ermittelt und geständig.

Treskow ließ die Glückwünsche leise abwehrend über sich ergehen. Auch die Billa kam aus der Küche, und der Gasmann war stolz, einem so berühmten Beamten die Rechnung zu bringen. Den ganzen Morgen über, auf dem Büro, auf der Straße, hatte er alle Hände voll zu tun, die Glückwünsche einzukassieren und die Händedrücke entgegenzunehmen. Man lobte seine Energie und seinen Scharfsinn. Und da alle es sagten, glaubte er schließlich selbst daran und bewunderte sich.

Bei Elisabeth und Trude hatte die Freude allmählich etwas komplizierteren Gefühlen Platz gemacht. Zunächst ging Frau von Treskow an ihren Schreibtisch. Der auf nächsten Freitag zum Butterbrot gebetene Rabanus wurde mit einer höflichen Wendung in aller Form wieder ausgeladen. Ein Glück, daß man diesen Menschen nicht mehr nötig hat.

Dann holte sie sich Trude. Hier war noch einiges

zu regeln. „Trude, wie geht es eigentlich dem Fräulein Spitzbart?"

„Och, wie soll es der gehen? Gut soweit."

„War sie nicht ein bißchen krank?"

„Doch, ein bißchen."

„Und gestorben ist sie wohl auch?"

Trude ist dunkelrot geworden und läßt den Kopf vornüberfallen. „Trude!"

Die verliebte Sünderin reißt sich zusammen. „Mutti, ich wollte dich nicht traurig machen, wo soviel anderes war. Und das Geld für die Monatsrechnung, das du mir mitgegeben hast — dafür haben wir Blumen gekauft und das ganze Grab damit belegt. War das nicht gut so?"

„Wer ist wir?" Frau Elisabeth weiß es genau und ist auch nicht so furchtbar böse, wie sie anstandshalber tut. Es soll nur die Überleitung sein. „Sag' mal, Trude, wo wart ihr denn — während der Klavierstunden?"

„Im Städtischen Museum, in der Keramik-Abteilung. Mutti, das ist wahnsinnig interessant, du mußt mal mit mir hingehen, da ist zum Beispiel —"

Mutti läßt sich nicht vom Thema bringen. „Ich kenne das. Im Museum ist man allein und wird nicht gesehen. Ihr seid aber doch gesehen worden. In dieser Stadt wird alles gesehen, das merk' dir mal. Außerdem ist das Nebensache. Was ich mit dir besprechen wollte: Wir wissen jetzt, daß ein gewisser Albert Schmitz der Täter ist. Was folgt daraus?"

„Ich weiß nicht, Mutti."

„Du weißt es sehr gut: daß dieser Rabanus mit seiner angeblichen nächtlichen Beobachtung dich angelogen hat."

„Ausgeschlossen, Mutti."

„Aber erwiesen. — Warum hat er das getan?"

„Du meinst, er will sich wichtig machen?"

„Sein anonymer Brief ist deutlich genug: er will uns unter Druck setzen."

„Der Brief ist nicht von ihm!"

„Ein Mensch, der derartig lügt und unsern lieben guten Papa in Verdacht bringt, schreibt auch solche Briefe. — So, mein Kind, du weißt nun, wie die Sache steht. Jetzt heul' dich ein bißchen aus. Das geht vorüber. — Was ich noch sagen wollte. Ich werde dich übrigens zum Tanzkursus anmelden. Wir können nachher bei Frau Maltzahn-Müller vorbeigehen. — Was ist los, wo willst du hin?"

„Ihn fragen."

„Das läßt du selbstverständlich bleiben. Der Mensch ist von einer solch bestechenden Klugheit — ich weiß, wie er mich bei seinem Besuch zusammengeredet hat — der bringt es fertig und beweist dir im Handumdrehen, daß er der beste Kerl der Welt ist und alles nur für dich getan hat. Ein solches Übermaß von Intelligenz ist gefährlich und sitzt leider immer an der falschen Stelle."

Trude soll versprechen, den „Heiratsschwindler" nicht mehr zu sehen: Sie weigert sich. — Grund: Dann müsse sie es halten. So ist Trude.

Infolgedessen setzt man sie unter Bewachung.

*

Bätes hat keine große Wohnung. Sie besteht im wesentlichen aus Küche, die nicht allein der Bereitung der Mahlzeiten gewidmet ist, sondern gleichzeitig als Wohnraum dient und als Eßraum, Schlafraum und Waschraum, kurz als Lebensraum.

Die Küche wiederum besteht im wesentlichen aus Kindern. Eins sitzt auf dem Bänkchen und macht mit Topfdeckeln Musik, eins spielt mit der Katze, eins wird von der Ältesten gebadet, eins spielt Verstecken hinter der Mutter, eins putzt einem andern das Näschen, eins ist am Heulen. Frau Bätes steht an der Waschbütt und rubbelt eigene und fremde Wäsche über das gewellte Brett. Zwischendurch wischt sie sich mit seifenschaumiger Hand die Haarsträhnen aus dem verschwitzten Gesicht.

Bätes hat die Oberaufsicht über die Nachkommenschaft, schält Kartoffeln am laufenden Band und führt dabei wundersame Reden: Von Geld, von ganz viel Geld, von ehrlich verdientem Geld. Und macht geheimnisvolle Andeutungen. Frau Bätes hört nicht hin, sie kennt den Quatsch; manchmal ist er wohl nicht ganz richtig im Kopf, will ihr scheinen.

Aber die Kinder hören zu. Von Geld wissen sie zu Hause nicht viel; in der Schule wird es zum Rechnen benutzt: Wenn du 86 Mark in der Tasche hast und 37 ausgibst — sie können sich beides nicht vorstellen.

Dreitausend Mark, ist das viel? Gibt es das überhaupt? Bätes muß die Zahl aufschreiben, eine Drei mit wieviel Augen dahinter? Bätes weiß es selbst nicht genau, drei oder vier? Wahrscheinlich vier, sonst könnte er mit Wimm nicht teilen.

Und dann erzählt er den kleinen Menschlein, was für eine feine Sache das Geld ist, und was man alles dafür kaufen kann: „Warme Höskes un Schühkes, un son rote Zipfelmütze ein, mit nem Quast, un en Eiserbahn, die von selber läuft — ja, auch janz viel Kordel, ne janze dicke Knubbel, un en Mohrenpüppken un en Flizzepeh — ja, auch Kreid für an de Häuser zu male, un wat mer habe will, e Haus, ne janze Straß, de janze Welt kann mer kaufe."

„Auch de Leut?"

„Ja, auch de Leut." —

„Mach mich de Kinger nit doll", mahnt es vom Waschfaß.

Bätes läßt sich nicht beirren. Die Kinder sind dicht auf ihn gekrochen; das eine hat seine Deckelmusik eingestellt, das andere kein Interesse mehr fürs Kätzchen, das dritte ist gebadet und steht mit triefenden Härchen, das vierte ist mit dem Näschen fertig, das fünfte heult nicht mehr; die ganze kleine Gesellschaft hängt wie eine Traube um den dicken Bätes und hört mit glühenden Bäckchen und offenen Mäulchen auf den Märchenmann: „Mit Jeld kann mer alles, mer kann Puffpuff fahre, beim Bäcker lecker Teilches hole, mer brauch nit auf de Arbeit un is reich, un alle Leut müssen einem jrüßen."

Schlaraffenland — Weihnachten — Himmel. Sie sind Engelchen, und Bätes ist der liebe Gott.

Es klopft. Hart, soldatisch.

„Is dat schon dat Jeld, Pappa?"

Nein, es ist ein Polizist. Und noch einer.

„Sind Sie der Gelegenheitsarbeiter Albert Schmitz?"

Die Kinder verstecken sich hinter die Mamma, glücklicherweise ist sie breit genug. Polizei ist für die Kinder der schwarze Mann, damit werden sie gebändigt, in den Schlaf gejagt. Polizei kommt, wenn man unartig ist. War der Pappa denn unartig?

Bätes weiß, er soll zur Vernehmung. Aber weswegen kommen sie zu zweit? Es geht den Beamten schwer von der Zunge: Er soll sich von seiner Familie verabschieden, er wird vorläufig nicht wiederkommen. Haftbefehl.

Bätes ist keineswegs erschüttert. Im Gegenteil, das ist ein sicheres Zeichen, die Sache geht also voran. Die dreitausend Mark sind unterwegs. Die Kinder glauben an ihn, sie glauben alles, was schön ist. Bloß die Frau weiß nicht, was sie davon halten soll, und ringt die seifigen Hände. „Dä Doll, wat hätt dä nu widder jemacht?"

Bätes nimmt Abschied von seinem Volk; es ist eine lange Reihe. Sie begreifen es nicht, er selbst vielleicht auch nicht. Er ist ein Märtyrer und Held. Nur Frau Bätes jammert: „Is dat nu nödig? Is dat nu nödig?" Und dem Bätes fällt plötzlich ein: Der Staatsanwalt hat doch gesagt, er würde ihn nicht verhaften.

„Ja, da Sie Anstalten zur Flucht machen —", klären ihn die Beamten auf.

„Wat? Wer sagt dat von mich?"

„Der Sie angezeigt hat. Offenbar ein guter Freund."

„Dä Filu dä! Dat Ferkel! Ich hau ihm zu Rajuh!" Und da er den Wimm nicht leibhaftig zur Hand hat, nimmt er statt seiner den nächstbesten Stuhl und knallt ihn zu Brennholz. Die beiden Polizisten können ihn nicht bändigen. Erst als Mutter Bätes ihm von der Seite einen mißbilligenden Blick zuwirft, wird er zahm und verständig und läßt sich abführen.

Und faßt seine Gefühle dahin zusammen: „Dä Wimm, dä kritt noch Freud an mich, dä fiese Möpp, dä Labbes dä! Ich widerrufe alles beim Jericht, und da kritt hä keine rösige Pfenning. — Däh!"

Inzwischen belagert Wimm die Gerichtskasse.

Ob er denn endlich die Belohnung bekäme?

Erst nach der Verurteilung.

Oder wenigstens einen Vorschuß. Vielleicht mal fürs erste tausend Mark?

Oder hundert?

Oder drei?

*

Rabanus hatte die Einladung zum Butterbrot erhalten und prompt darauf auch die Ausladung. Höflich und ein wenig deutlich. Dann war es aus. Trude unsichtbar, wie fortgeblasen. Brief unbestellbar, das Haus eine Festung.

Rabanus tat, was er immer tat, wenn ihm etwas quer ging: Er versuchte, sich etwas weiszumachen. Kein Zustand ist von ewiger Dauer. Alles geht vorüber; man muß warten können.

Warten können heißt: Solange etwas anderes tun.

Rabanus stürzte sich in Arbeit. Es war Arbeit aus Wut. Sie wurde danach. Alles, was er anfing, kam grell, verkrampft, verbogen. Im Spiegel seiner Arbeit sah er, was mit ihm los war, und fand langsam den Mut, den Dingen ins Gesicht zu sehen.

Das war es: Ein kleines dummes Mädchen hatte ihn geprellt. Solange er gefährlich schien, war er gut genug. Nun, wo er den Karren aus dem Dreck gefahren hat, gibt man ihm den Eselstritt.

Es war seine Schuld, seine überhebliche Bescheidenheit und lächerliche Rücksicht: Er wollte das Mädchen vor Konflikten bewahren und ihm den Glauben an den Herrn Papa wiedergeben. Er hätte besser getan, seine Rettungsaktion mit Wimm und Bätes zu offenbaren. Jetzt hatte er keine Gelegenheit mehr.

Übrigens fand er, daß ihm die Rolle des abgestellten Liebhabers nicht zu Gesicht stand. Sie steht keinem.

Das beste Mittel gegen Liebe ist Haß. Liebe verlangt Gegenliebe, Haß läßt sich einseitig bewerkstelligen. Rabanus hatte eine suggestive Art zu reden. Er redete es sich selbst so lange vor und redete sich tiefer hinein, bis er es schließlich glaubte, und der gewünschte Haß war fertig. Ein schöner Haß, ein heißer Haß, mit Verachtung durchzogen und mit Rachegedanken verziert. Er hatte seine psychologische Freude daran. Gewiß, wenn er sich selbst hinter die Karten guckte, und das konnte er nie lassen, so war es kein naturgewachsener, sondern ein gezüchteter Kunsthaß. Immerhin, Haß bleibt Haß. Und basta.

Daran, daß er durch seine geheime Wimm-Bätes-Aktion sich selbst und seine nächtliche Beobachtung Lügen gestraft hatte, dachte er freilich nicht. Was zu nahe liegt, übersieht man leicht, besonders, wenn man zu weitschauend sein will. Übrigens hätte ihm die Erkenntnis auch nichts mehr genutzt. Es war endgültig versiebt.

Eines Tages lief ihm die Ria Prümper über den Weg. Sie sah noch tropischer, noch mohnblumiger aus, oder es kam ihm so vor. Er wollte einen Bogen schlagen, denn eigentlich war sie an der Geschichte schuld. Aber sie lief hinter ihm her und hielt ihn an. Er hatte sie schlecht behandelt, darum war sie lieb und anhänglich wie ein Hündchen.

„Wie jeht et Ihnen noch, Herr Rabanus? Sie sehen nit jut aus."

„So?"

„Warum kommen Sie nit mehr bei uns vorbei, zum Frühstück oder zu nem Bölchen? Der Vatter meint, wenn Sie auch jesessen hätten, drum könnten Sie doch kommen. — Wat kucken Sie mich so an? Ich kann aber auch bei Sie auf et Atelier kommen. Zum Malen — oder zum Kaffeetrinken."

*

Das öffentliche Interesse an dem Maulkorb-Attentat war im Begriffe einzuschlafen. Man kann nicht Wochen hindurch über den nämlichen Ulk lachen, feixen, tuscheln und Gerüchte wispern. Was an offener Entrüstung und versteckter Witzelei aufzubringen war, hatte die Rechts- und Links- und Mittelpresse erschöpfend besorgt. Nun begann Gras zu wachsen.

Als der Tag der Gerichtsverhandlung kam, erlebte der sterbende Maulkorb seine glanzvolle Auferstehung.

Zunächst in den Zeitungen.

Wer war überhaupt dieser Albert Schmitz?

Wie so oft, erfuhr man auch hier zunächst die negative Seite: wer es nicht war. Jeden Tag standen Notizen in der Zeitung: Herr Buch- und Steindruckereibesitzer Albert Schmitz, Hohe Straße 14, legt Wert auf die Feststellung, daß er mit dem Täter nicht identisch ist.

Viele Schmitze legten Wert auf diese Feststellung.

Übrig blieb der Albert Schmitz aus der Liefergasse. Frau Bätes bekam viel Besuch. Herren in Sportanzügen mit Notizbüchern und Photoapparaten fragten sie aus. Anfangs war sie mißtrauisch, hielt die Männer für Geheimpolizisten und stellte sich dumm. Langsam kam sie dahinter, daß ihr Mann, der gute, dicke, blöde Bätes, über Nacht eine Berühmtheit geworden war. Sie hatte es sich längst abgewöhnt, die Wege des Schicksals zu ergründen. Das Gute nahm sie hin, wie bisher das Böse, und ließ sich geduldig interviewen. Sie mußte von ihrem Bätes erzählen, Erinnerungen und Photographien auskramen, und wo sie etwas nicht wußte, erfand sie dazu, was man brauchen konnte. Das lernt sich schnell. Sie kam aus der weißen Schürze nicht mehr heraus und sträubte sich nicht, daß man ihr hier und da den Zeitaufwand bezahlte. Sie hatte neun Kinder.

Manchmal kamen Leute, die sehr leise sprachen und erst das Fenster schlossen. Ob Bätes sich schon früher politisch betätigt habe? Bei welcher Partei? Und ob er sich wohl als Kandidat aufstellen lasse? Frau Bätes wurde böse; sie wird das immer, wenn sie etwas nicht versteht.

„Ich laß meine Mann nit als Kandidat titeliere, dat verbitt ich mich! Dat is keine Kandidat, dat is ne anständije ordentliche Arbeitsmann."

Am Tage vor der Verhandlung stand Bätes in allen Zeitungen. Bätes in Wort und Bild. Bätes als Säugling, Jüngling, Soldat, Familienvater. Ein zehnfacher Sittlichkeitsverbrecher hätte nicht höher bewertet werden können.

Bätes der Attentäter! Bätes der Denkmalschänder! schrieb die eine Seite mit flammender Entrüstung.

Bätes der Bekenner! Bätes die kochende Volksseele! schrieb die andere mit versteckter Bewunderung.

Bätes einerseits — Bätes andererseits! balancierte die Mittelpresse.

Bätes war der Held des Tages.

Und nicht etwa Treskow. Kaum, daß sein Name erwähnt wurde. Daß ein Staatsanwalt den Täter ermittelt, ist selbstverständlich; dafür wird er bezahlt. Treskow war nicht eitel, er buhlte nicht um Volkesgunst und Zeitungsruhm. Er war nur ehrgeizig; an zuständiger Stelle würde man schon auf ihn aufmerksam werden.

Am Tage vor der Verhandlung hatte er noch einen ärgerlichen Zusammenstoß mit seinem Oberstaatsanwalt. Der hatte sich zu ihm aufs Zimmer bemüht, was er sonst aus Gründen der Autorität nie tat, war ungewöhnlich liebenswürdig, fast herzlich. Dann kam des Pudels Kern: „Ach, lieber Treskow, was ich noch sagen wollte — Sie sind vielleicht ein bißchen überarbeitet; wäre es nicht richtiger, wenn Sie die Wahrnehmung der Sitzung einem Ihrer Kollegen überließen? Oder mir persönlich, wenn Ihnen das lieber ist."

Treskow bebt. „Ich wüßte nicht, Herr Oberstaatsanwalt, womit ich einen derartigen Mangel an Vertrauen verdient hätte. Wenn ich den Täter ermitteln und zum Geständnis bringen konnte, dann werde ich auch in der Lage sein, seine Aburteilung durchzusetzen."

Der Oberstaatsanwalt hat ihn scharf beobachtet und lenkt ein: „Ich glaubte, in Ihrem Interesse zu handeln. Aber wenn Sie der Sache so gegenüberstehen, wie ich mich jetzt erneut überzeugt habe, dann soll es mich aufrichtig freuen."

*

Der Tag des Gerichtes war gekommen.

Dem Bätes war die Untersuchungshaft gut angeschlagen. Er hatte nie im Leben so viel und so gut zu essen bekommen. Bei ihm zu Hause ging alles in elf Teile. Hier hatte er seinen großen Napf für sich allein und konnte nachbestellen, so oft er wollte. Und wie nett sie alle zu ihm waren, die andern und der Aufseher. Er war schnell dahinter gekommen: Er war etwas Besonderes, ein „Politischer". Das ist viel. Allmählich glaubte er an sich und seine Sendung. Jeder glaubt an sich. Aber er wurde nicht stolz, er blieb leutselig und volksverbunden.

Auf die Nerven ging ihm lediglich die ungewohnte Ruhe des Gefängnisses. Es war ein völlig kinderloses Gebäude, und eine Änderung stand nicht in Aussicht.

Zur Feier der Verhandlung wurden ihm seine Zivilkleider zur Verfügung gestellt. Das ist üblich und richtig. Wer vor Gericht steht, ist noch kein Sträfling und soll nicht durch äußere Attribute vorbelastet erscheinen. Bätes hatte dafür kein Verständnis. In der blauleinenen Anstaltskluft kam er sich weit heroischer vor als in seinem ausgeleierten Sonntagsstaat. Einen schönen gestreiften Gummikragen bekam er mit Zustimmung der Gefängnisverwaltung von einem Zellennachbarn geliehen. Er wußte, was sich für einen Mann von Bedeutung ziemt.

Die Justizverwaltung wußte es auch. Wegen des zu erwartenden Andranges war die Verhandlung im Schwurgerichtssaal angesetzt. Es war nicht nur der größte, sondern auch der dunkelste Saal, und deswegen besonders feierlich. Alles war ausbruchsicher angelegt, die hochliegenden Fenster, der dunkle Zuführungsgang für die Angeklagten, und das massiv umbaute Armsünderbänkchen. An der Längswand hing ein von Cornelius gemaltes und im Baedeker mit Sternchen bezeichnetes Triptychon, das den Himmel, die Hölle und das Fegefeuer darstellte und an dieser Stelle eindringlich die engen Beziehungen zwischen irdischer und himmlischer Gerechtigkeit dokumentierte.

Bätes hatte vom Schwurgerichtssaal schon gehört. Wimm war dort Stammgast und ging besonders gern im Winter hin, wenn er warm sitzen und eine kostenlose Unterhaltung haben wollte. Von ihm wußte er, hier kamen die dicken Sachen vor, hier flogen die Jahre „Z" den Leuten nur so um die Köpfe. Dem Bätes wurden die Knie weich.

Als er hinein geführt wurde, war schon alles versammelt. Man hatte auf ihn gewartet. Er fand ein ausverkauftes Haus. Die Leute auf den Bänken reckten die Hälse, wisperten und stießen sich an; vorn am Pressetisch saßen geschäftige Herren und begannen sogleich zu schreiben. Alles für ihn.

Ganz vorn auf der Zeugenbank saß der Wimm, fahl vor Neid und Habgier. Bätes übersieht ihn ostentativ. Es ist nur ein simpler Zeuge; aber er, der Bätes, Kernpunkt dieser Veranstaltung. Von seiner Estrade herab begrüßt er sein Volk mit einem wohlwollenden Winkewinke und wird zur Ordnung gerufen. „Was machen Sie denn da? Wenn Sie sich nicht benehmen können, sperre ich Sie drei Tage ein."

Bätes zuckt zusammen und merkt auf einmal, daß das Gericht nicht nur aus ihm und seinen Zuschauern, sondern vor allem aus dem hohen Gerichtshof besteht. Auf einem Podest, das noch ein ganzes Stück höher ist als sein eigenes, steht eine endlos lange, leicht gekrümmte Theke mit einem grünen Tuch, das bis auf den Boden hängt, damit man die Beine des Gerichts nicht sehen kann. Und dahinter sitzen fünf schwarze Männer, dazu Staatsanwaltschaft und Gerichtsschreiber und Referendare und anderer schwarzgekleideter Zubehör. Und alle machen schwarze, undurchdringliche Gesichter und sehen ihn mit gerunzelten Augen an. Es wird ganz still. Man hört Aktenblättern und Federkritzeln.

Dem Bätes ist es unheimlich. Fünf gegen einen, denkt er. Wenn jeder von ihnen ihm nur drei oder vier Monate aufbrummt, das gibt zusammen — ojottojott. Er hat sich das als eine Art lustiges Theater vorgestellt, bei dem er den Helden spielt. Nun sieht er, in welche Maschinerie er geraten ist. Ein Glück, daß links oben am Ende des langen Tisches wenigstens der eine sitzt, der damals so freundlich zu ihm war und ihm milde Strafe versprochen hat. Aber heute ist auch der schwarz und ernst und tut fremd. Und sprechen tut er auch nicht. Sprechen tut nur der in der Mitte mit den breiten Schultern und der rollenden Stimme.

„Stehen Sie auf."

Bätes schnellt in die Höhe. Er fühlt, daß hundert Augen ihn anstarren, und hat ein seltsames Gemisch von Angst und Eitelkeit. Ihm ist wie einem Schauspieler, der zum erstenmal auf der Bühne steht. Er weiß nicht, wo er die Hände lassen soll, er hat zwanzig Arme und fürchtet, sie könnten ihm abfallen. Und steckt vor lauter Verlegenheit die Hände in die Hosentasche.

„Hand aus der Tasche!" donnert der Vorsitzende.

Bätes denkt an Militär, steht stramm und sagt „Zu Befehl".

„Lassen Sie die Mätzchen!" dröhnt der Vorsitzende.

Jetzt ist es aus mit Bätes. Seine Personalien werden abgefragt. Es verschlägt ihm die Stimme, er weiß nicht mehr, wie er heißt, ob er verheiratet ist, wieviel Kinder er hat. Der Vorsitzende muß alles vorsagen. Bätes läßt es über sich ergehen. Der Eröffnungsbeschluß wird verlesen. Bätes hört ein Gerassel von Worten, die er nicht versteht, Paragraphen und Zahlen, Majestätsbeleidigung, Idealkonkurrenz, Fundunterschlagung, Bundesstaat, fremde bewegliche Sache, Zueignung. Er bekommt einen Schreck, was er alles getan hat. Er möchte nach Hause, aber der Holzkäfig und die Gerichtsdiener würden ihn hindern.

Dann werden die Zeugen hinausgeschickt, Wimm und der Schutzmann. Bätes wird zur Sache vernommen.

Zunächst erhält er eine ausgiebige Verwarnung. „Ich rate Ihnen in Ihrem eigenen Interesse, auch heute die Wahrheit zu sagen. Lügen haben kurze Beine, besonders bei uns. Sie wissen, um was es sich handelt. Sie sollen das Denkmal unseres Allergnädigsten Landesherrn mit einem Hundemaulkorb versehen haben. Sie geben das alles zu?"

In Bätes kreisen die Gedanken: Majestätsbeleidigung, Zuchthaus, Wahrheit sagen, Belohnung, Kinder; ein Ringkampf zwischen Geld und Angst. Er weiß kaum noch, was oben und unten ist.

„Ob Sie das zugeben", fragt der Vorsitzende, lauter, drohender.

Jetzt muß er antworten. Er denkt an die Kinderhöschen und Kartoffeln und sagt ja. Sieht die vielen schwarzen Männer hinter der Theke und sagt nein. Entschließt sich dann zu einem Mittelweg und fragt: „Was jefällig?"

„Ich frage, ob Sie das am Denkmal gemacht haben."

„—Enää."

„So? Sie wollen also jetzt bestreiten?"

„—Enää."

„Was heißt nein? Sie können doch nicht auf beides nein sagen. Also, was wollen Sie, zugeben oder bestreiten?"

„—Eja."

„Was heißt ja? Sie können eine alternative Frage doch nicht mit ja beantworten. Verstehen Sie denn kein Deutsch?"

„—Eja."

Der Vorsitzende ist mit seiner Kraft zu Ende. Ihm ist kein Verbrecher zu gerissen, kein Verteidiger zu gefährlich. An Bätes zerschellt er. Er versucht es andersherum. „Nun seien Sie mal vernünftig. Sie haben das doch früher zugegeben."

Bätes sieht sich hilfesuchend nach dem Wimm um; sein Platz ist leer. Das bringt ihn um den Rest der Fassung. Er fühlt sich allein und preisgegeben und bringt kein Wort mehr heraus. Die Tränen stehen ihm in den Augen.

Der Vorsitzende wendet sich nach links. „Ach,

Herr Staatsanwalt, vielleicht können Sie ihm mal vorhalten, was er Ihnen erzählt hat."

Darauf hat Treskow gewartet. Seine Angst war, daß es ein glattes Geständnis und eine lächerlich einfache Verhandlung geben könnte. Nun sah man, was es für ein verstockter Bursche ist. Außerdem war es eine seiner Spezialitäten, widerrufene Geständnisse in Ordnung zu bringen. Er nahm das strenge Barett ab, legte sein Amtsgesicht in heitere Falten und wandte sich an Bätes, den rheinischen Tonfall leicht imitierend: „Sehen Sie mich einmal an. Erkennen Sie mich nicht?"

„Jewiß dat", sagt Bätes und freut sich über den freundlichen Frager.

„Sie haben mir die Sache damals doch so schön erzählt."

Bätes schüttelt den Kopf. „Ich nit. Der Wimm."

„Was ist Wimm?" fragte der fünfte Beisitzer, ein hoffnungsvoller Prädikatsassessor aus dem Osten. Er wird aufgeklärt, und Treskow kann fortfahren.

„Angeklagter, wir möchten das aber gern von Ihnen selbst hören. Also, Sie kamen in der Nacht am Denkmal vorbei — — nun? — — erzählen Sie doch."

Bätes würgt: „Der Wimm — der Wimm —" Plötzlich kommt ihm ein Gedanke. Der Wimm ist derjenige, der die Sache ausgeheckt hat; der Wimm braucht nicht zu sitzen und kriegt das viele Geld. Dafür kann der Wimm auch was tun. Mag der Wimm hier die hohen Herren belügen; er, der Bätes, will eine reine Weste haben und hält sich säuberlich

149

dumm. Kein Wort ist aus ihm herauszuschlagen. Er wiederholt immerfort:

„Ihr müßt der Wimm frage. Der Wimm weiß Bescheid."

Der Fall ist ungewöhnlich. Einen Täter, der mit der Sprache nicht heraus will und sich auf den Belastungszeugen beruft, das hat man noch nicht gehabt. Das Gericht flüstert und ist auf den Zeugen Wimm gespannt.

Vorher wird noch der Schutzmann vernommen, der morgens als Erster am Denkmal war und den Tatbestand feststellte. Weiter weiß er nichts. Man hat ihn dennoch geladen. Zu einer ordentlichen Strafverhandlung gehört ein schwörender Schutzmann, das gibt der Sache Wucht und Ansehen.

Solch ein Schutzmann kommt in Helm und Festtagsuniform mit prallen Nähten, glänzendem Lederzeug und knarrenden Stiefeln, knallt die Hacken und kann die Eidesformel besser als der Vorsitzende. Seine Aussage beginnt: An dem fraglichen Tage... Das Weitere steht in seinem Notizbuch.

Dieser hier tut ein übriges. Er schildert mit tönender Wichtigkeit, welch ergreifenden Eindruck der Maulkorb an Allerhöchster Stelle auf ihn gemacht habe, und wie sich immer mehr Menschen ansammelten, und er nichts tun konnte, um ihnen den Anblick zu ersparen.

„Warum haben Sie das Ding nicht einfach heruntergenommen?" fragte ein Beisitzer, es ist aber nicht der Prädikatsassessor.

Der Schutzmann ist durch die Zumutung tiefst erschüttert und schnappt nach Luft. „Ja, dann wäre doch alles — dann wäre ja gar nichts —" Er kann sich nicht vorstellen, was dann wäre.

Der Vorsitzende vermittelt. „Die Frage liegt wohl etwas neben der Sache. Über die Täterschaft wissen Sie nichts?"

„Nein. Aber die Tat ist dem Angeklagten durchaus zuzutrauen."

„Kennen Sie ihn?"

„Das nicht. Aber das sind die Elemente, die vor nichts zurückschrecken."

Und dann kommt Wimm der Zeuge. Es war ihm nicht nach der Mütze, daß er draußen warten mußte. Nun weiß er nicht, was der Bätes gesagt hat, und sieht ihn fragend an. Bätes nickt ihm zu. Also ist die Luft rein. Wimm schlängelt sich nach vorn und legt sogleich los: „Ich un der Bätes, mir kame da vorbei, da trat der Bätes auf wat Weiches, dat war ne Maulkorb, und da sagt der Bätes, wat solle mer damit mache, un da sag ich: nix, und da sagt der Bätes: endoch, un jing am Denkmal un macht der Maulkorb dran fest, un ich jing laufe, ich wollt nix damit zu donn han."

„Warten Sie, bis Sie gefragt sind", unterbricht der Vorsitzende. „Sie werden zunächst den Zeugeneid leisten." Wimm erhält die übliche Belehrung, er hört von Meineid und Sünde und Hölle und Zuchthaus; dann muß er die Hand in die Höhe halten und nachsprechen, und alle stehen auf.

Daran hat er nicht gedacht, daß er ans Schwören kommt, wo der Bätes doch alles eingestanden hat.

„Sprechen Sie nach: Ich schwöre —"

„Verzeihung, Herr Präsident, jeht dat nit auch ohne Eid?"

„Nein. Sprechen Sie nach: Ich schwöre bei Gott dem Allmächtigen —"

„Verzeihung, Herr Präsident, wenn ich aber nit richtig dran jlaub?"

„Das macht nichts, wenn Sie nur richtig ans Zuchthaus glauben. — Also bitte: Ich schwöre —"

Dem Wimm tropfen die Worte schwer und heiß wie flüssiges Blei aus dem Mund. Alle setzen sich wieder. Nun kann es losgehen.

Es geht nicht los. Wimm ist stumm wie ein Fisch. Er muß immer ans Zuchthaus denken.

„Wollen Sie gefälligst anfangen? Sie kamen in der Nacht über den Marktplatz, nicht wahr?"

Wimm schweigt weiter.

„Schön. Und da haben Sie beobachtet, wie der Angeklagte — Also bitte!"

„Jott, wat heißt beobachtet? Da hatt ich eijentlich jar keine Jrund för, wat jroß zu beobachten."

„Also meinethalben gesehen, zufällig gesehen, ist ja gleichgültig. — Und was haben Sie gesehen?"

„Eijentlich nit viel, sozusage."

„Viel oder wenig — wir wollen wissen, was Sie gesehen haben."

Wimm wird immer kleiner. „Och, dat war eijentlich nit der Rede wert."

„Bitte, was?"

Wimm ist beinahe im Erdboden. „Ja, Herr Präsedent, dat war da son Sach, wie soll ich Ihne dat erkläre?"

„Nun quasseln Sie nicht. — Sind Sie etwa mit dem Angeklagten befreundet?"

Wimm tut einen ängstlichen Seitenblick zu Bätes. „Wie mer et nimmt."

„So. Das habe ich mir gedacht. Jetzt tut es Ihnen leid, daß Sie ihn angezeigt haben, und Sie wollen ihn herauslügen. Aber damit haben Sie kein Glück. Ich warne Sie nachdrücklichst vor den Folgen des Meineides. Machen Sie sich nicht unglücklich, sagen Sie die reine Wahrheit. Also, was haben Sie gesehen?"

„Wenn mer et richtig nimmt: Nix."

„Sie standen doch dabei."

„Nit so richtig."

„Oder jedenfalls in der Nähe."

„Och, so arg nah war dat nit."

„Wo waren Sie denn?"

„Wenn ich partuh de Wahrheit sage soll: Im Bett."

„Da können Sie doch nichts gesehen haben."

„Jrad, wat ich sag, Herr Präsedent."

„Herr Wachtmeister, Sie sorgen dafür, daß der Zeuge den Saal vorläufig nicht verläßt."

„Jowoll, Herr Landgerichtsdirektor."

Treskow ist nervös geworden. Nein, so darf man den Zeugen nicht behandeln. Er kann es besser: „Herr Donnerstag, kommen Sie mal näher. Wir kennen uns doch, nicht wahr? Ich weiß auch genau, daß Sie die Anzeige nicht ohne Grund gemacht haben. Sie wollen offenbar nur sagen, daß Sie aus eigner Wissenschaft nichts wissen. Aber der Angeklagte hat Ihnen doch davon erzählt?"

„Wie soll ich dat verstehe?"

„Ich meine, er hat Ihnen gestanden, daß er das gemacht hat?"

„Dat kann man jrad nit sage."

„Immerhin hat er Ihnen Andeutungen gemacht?"

„Dat wär eijentlich zu viel jesagt."

„Jedenfalls hat er mit Ihnen über die Sache gesprochen? Überlegen Sie gut, es geht auf Ihren Eid."

„Jesproche? Dat is möglich."

„Was hat er mit Ihnen darüber gesprochen?"

„So allerhand, wat mer so spricht."

„Hat er nicht gesagt, Sie sollen ihn nicht hereinreißen?"

„Enää, Herr Staatsanwalt, dat bestimmt nit, dat nehm ich auf den Eid, dat hätt hä nit jesag." Wimm ist lebhaft geworden, es klingt durchaus glaubhaft.

„Woher wissen Sie denn, daß er der Täter ist?"

„Wissen is nit der richtije Ausdruck. Der Bätes muß es doch am besten selber wissen. Tun Se ihm doch mal frage."

Schweigen rundum.

„Oder soll ich ihm selber frage?" Wimm wartet keine Antwort ab und wendet sich an Bätes? „Wie is dat, Bätes, du häs et doch jedonn. Oder nit?"

Bätes rührt sich nicht.

„Du Bangezibbel, nu sag et doch."

Aller Augen sind auf Bätes gerichtet, Bätes sieht hilflos auf Wimm, und Wimm malt ihm heimlich eine Drei in die Luft, eine große runde Drei mit lauter Nullen dahinter.

Das hilft. „Ja, wenn de meinst", sagt Bätes.

Der Prädikatsassessor fährt dazwischen. Er hat beobachtet, daß der Zeuge merkwürdige Handbewegungen zum Angeklagten gemacht hat; vielleicht versucht er ihn zu hypnotisieren. Außerdem sei es prozessual unzulässig, daß der Zeuge an den Angeklagten Fragen stellt. Der Assessor hat natürlich recht. Aber immerhin ist man froh, wenigstens ein Stückchen weitergekommen zu sein. Der Vorsitzende hilft liebevoll nach. „Angeklagter, wir meinen es gut mit Ihnen. Ein offenes Geständnis würde Ihre Lage verbessern. Sagen Sie uns die Wahrheit, dann kommen Sie mit einer milden Strafe davon."

Bätes möchte das genauer wissen: Was heißt milde Strafe? Was würde er beispielsweise kriegen?

Auf diese Frage ist man nicht gefaßt. Man kann sich doch vorher nicht festlegen, das hat noch kein Mensch verlangt. Das wäre auch gesetzlich nicht zulässig. Der Prädikatsassessor wälzt Kommentare.

Nun wird Bätes erst recht mißtrauisch. Wenn man milde Strafe sagt, muß man auch wissen, wieviel, sonst ist das eine Redensart, darauf fällt er nicht herein.

Er ist nun wie eine Mauer und durch nichts mehr zu erschüttern. Wimm macht verzweifelte Zeichen, plinkt mit den Augen, der Vorsitzende redet auf ihm herum, sanft wie Äolsharfen und donnernd wie eine Schlacht. Bätes sagt keinen Ton und bleibt verstockt und störrisch wie ein Esel.

Die Sache ist festgefahren.

Der Vorsitzende blättert ärgerlich in den Akten. Die Beisitzer tuscheln. Der Zuschauerraum wird unruhig.

Treskow bewahrt mühsam Haltung. Das ist ihm noch nicht passiert. Er geht mit einem rundherum geständigen Angeklagten und einem handfesten Augenzeugen in die Verhandlung, mehr kann man nicht verlangen, und nun kippt der Angeklagte und benimmt sich wie ein Halbidiot, und der Augenzeuge sagt unter Eid, daß er nicht das Geringste weiß. Es riecht nach Freispruch. Nach Fiasko.

In höchster Seelennot kommt ihm ein Gedanke.

„Da ist noch ein gewisser Rabanus, der angeblich den Täter gesehen hat und vielleicht wiedererkennen wird. Ich hätte ihn als Zeugen geladen, wenn ich diese Schwierigkeiten geahnt hätte. Ich beantrage, ihn herbeizuholen und die Sitzung solange zu unterbrechen."

Die können zu Hause lange nach mir suchen, dachte Rabanus. Er saß lustig auf der hintersten Bank des Zuschauerraumes und hielt sich in Deckung. Er hatte nicht die Absicht gehabt, sich den Betrieb hier anzusehen. Was ging es ihn an? Nun war er doch gekommen, vielleicht aus Langeweile, vielleicht aus kriminalwissenschaftlichem Interesse wie die andern, vielleicht auch, weil er der Erfinder von Wimm und Bätes war.

Das Gericht war abgetreten, die Zuschauer strömten langsam aus dem Saal, um frische Luft zu schöpfen. Rabanus hatte immer weniger Vordermänner, und ehe er es recht bemerkte, saß er frei und ohne Deckung. Eben will er sich zur Tür retten, da hat Treskow ihn erkannt. „Halt, da sind Sie ja! Bleiben Sie mal hier!"

Rabanus stört sich nicht daran; er ist ein freier Mann und kann gehen, wohin er will. Aber schon hat ihn der Wachtmeister geschnappt und führt ihn in den Saal zurück.

Das trifft sich gut. Das Gericht kommt zurück, im Augenblick ist der Saal wieder voll. Die Sitzung geht weiter. Der zweite Teil beginnt.

Der Zeuge Rabanus ist die große Hoffnung. Staatsanwalt von Treskow ist voll Zuversicht.

Der Vorsitzende macht dem Zeugen einige Vorhaltungen: „Sie haben über die Person des Täters früher widersprechende Angaben gemacht. Erst war es ein großer Herr mit Mantel und steifem Hut, dann plötzlich ein kleiner dicker Mann mit Bart und Mütze, eine Beschreibung, die auf den Angeklagten passen könnte. Ich will nicht wissen, worauf diese Widersprüche beruhen, ich will Ihnen deswegen keine Vorhaltungen machen; Nachteile können Ihnen daraus nicht erwachsen, weil die Aussagen uneidlich waren. — Heute stehen Sie unter Eid, Sie haben geschworen, die reine Wahrheit zu sagen und nichts zu verschweigen. — Darf ich bitten?"

Rabanus beginnt. Die Worte kommen langsam,

klar und sorgfältig abgewogen. „Ich war an dem Abend bei einem Kollegen und hatte mich kurz nach zwei verabschiedet und ging nach Hause. Mein Weg führte mich über den Marktplatz."

„Waren Sie allein?"

„Jawohl."

„Erzählen Sie, was Sie dort beobachtet haben."

Rabanus holt tief Atem. „Ich sah, daß jemand über das Staket stieg und sich an dem Denkmal zu schaffen machte. Er kletterte daran hinauf, was unter Benutzung des Figurenwerkes leicht möglich war, rutschte einige Male wieder ab. Schließlich gelang es ihm, und ich sah, wie er einen Maulkorb vor dem Gesicht der Statue befestigte."

Es ist mäuschenstill im Saal. Die Richter sitzen gespannt vornübergebeugt, die Herren von der Presse schreiben, daß die Stifte brechen, die Zuschauer halten den Atem an. Treskow wird groß hinter seinem Tisch. Jetzt läuft der Karren richtig. Aber die entscheidende Aussage möchte er persönlich herbeiführen. „Haben Sie den Täter aus der Nähe gesehen?" fragt er.

„Jawohl."

„Würden Sie ihn bei einer Gegenüberstellung wiedererkennen?"

Rabanus zögert eine Sekunde. „Jawohl."

„Sehen Sie sich um. Ist der Täter vielleicht hier im Saal?"

Rabanus denkt einen Augenblick nach. „Jawohl."

„Dann zeigen Sie ihn."

Treskow sieht fragend auf Rabanus und Bätes.

Nun ist es soweit. Aber Rabanus schweigt. Er rührt sich nicht, ist auffallend blaß und starrt auf den Staatsanwalt.

„Was ist denn los?" mischt sich der Vorsitzende ein. „Haben Sie gehört, was der Herr Staatsanwalt Sie gefragt hat?"

„Jawohl."

„Warum antworten Sie nicht?"

„Ich möchte an dieser Stelle meine Vernehmung abbrechen."

„Was möchten Sie? Ob und wann Ihre Vernehmung abgebrochen wird, das bestimmen wir, und nicht Sie."

„Dann will ich mich deutlicher ausdrücken: Ich meinerseits habe nicht die Absicht, meine Aussage fortzusetzen."

„Ihre Absichten sind uns uninteressant. Als Zeuge haben Sie die Verpflichtung zur Aussage."

„Und wenn ich dieser Verpflichtung nicht nachkomme?"

„Dann werden wir sie erzwingen!"

„Darf ich wissen, wie Sie das machen?"

„Wir können Sie bis zu sechs Monaten in Haft nehmen."

Rabanus überlegt. „Mit sechs Monaten Haft ist mir nicht gedient. Aber wenn ich aussage, ist der Justiz erst recht nicht gedient."

„Das verstehe ich nicht."

„Das sollen Sie auch nicht verstehen; es genügt, wenn Sie es mir glauben."

Staatsanwalt von Treskow hat sich in seiner schwarzen Länge erhoben. Er weiß, wie man renitente Zeugen zur Vernunft bringt. „Ich lehne eine Diskussion mit dem Zeugen ab. Nachdem er trotz Vorhalt auf seiner Weigerung beharrt, stelle ich den Antrag, gegen ihn das Zeugniszwangsverfahren einzuleiten und ihn in Haft zu nehmen."

Rabanus wendet sich nach links. „Herr Staatsanwalt, Sie tun ja Ihre Pflicht, aber ich meine, gerade Sie hätten am wenigsten Anlaß —"

„Ich entsinne mich nicht, Sie um Ihre Meinung gefragt zu haben."

Schon will das Gericht zur Beratung über den Antrag abtreten, da meldet Rabanus sich zum Wort.

„Ich habe es mir anders überlegt. Ich werde aussagen. Aber — falsch."

„Wieso falsch?"

„Sie hören doch: Ich verweigere die Aussage nicht, ich werde alles sagen und alles beantworten, was Sie von mir haben wollen. Aber es wird nicht die Wahrheit sein. Ich werde etwas Falsches sagen."

„Gut, dann werden wir Sie so lange in Haft behalten, bis Sie richtig aussagen."

„Keineswegs, Herr Vorsitzender; eine falsche Aussage ist immerhin eine Aussage und keine Zeugnisverweigerung."

„Aber durch diese falsche Aussage machen Sie sich des Meineids schuldig."

„Keineswegs, Herr Vorsitzender; denn ich sage es ausdrücklich vorher — ich bitte es zu Protokoll zu nehmen — daß meine Aussage falsch sein wird. Ich täusche niemanden."

Also, das ist ganz etwas Neues: ein Zeuge, der seine eigene Aussage von vornehrein für falsch erklärt. Hier ist ein juristisches Problem von großer Tragweite und grundsätzlicher Bedeutung.

Ein Gericht besteht aus mehreren Juristen und infolgedessen aus mehreren Meinungen. Zwei so und zwei so. Der Prädikatsassessor hütet sich, eine Meinung zu haben, und blättert in Kommentaren und Entscheidungen.

Schließlich zieht sich das Gericht zur Beratung zurück.

Die Herren von der Presse funkeln vor Freude. Endlich haben sie den großen Zwischenfall. Zeuge stört durch Mätzchen die Verhandlung, schreiben die Rechten. Zeuge bringt das Gericht in Verlegenheit, schreiben die Linken. Die Mittleren schreiben gar nichts und warten ab.

Der alte Gerichtsdiener klopft Rabanus leutselig auf die Schulter und flüstert ihm aus der Fülle seiner Erfahrung: „Sie, da kommen Sie nicht mit durch."

Das Gericht kommt aus dem Beratungszimmer zurück. Die Richter setzen sich umständlich in ihre Sessel, der Vorsitzende zuerst, die Beisitzer säuberlich nach ihrem Dienstalter, und blicken mißmutig und bedrückt. Was haben Sie beschlossen?

Der Vorsitzende verkündet keinen Beschluß. Sondern spricht väterliche Worte zu Rabanus. „Kommen

Sie mal etwas näher. Warum machen Sie uns diese Schwierigkeiten? Was haben Sie dabei? Es hat den Anschein, daß Sie den Täter schonen wollen. Stehen Sie mit ihm in persönlicher Beziehung?"

Rabanus sieht abwechselnd den Staatsanwalt und den Bätes an. „Auch darüber kann ich mich hier nicht auslassen."

Bätes scheint sich getroffen zu fühlen; er legt den struppigen Kopf auf die Seite und blickt voll Rührung auf Rabanus.

Der Vorsitzende wird noch eine Stufe väterlicher. „Sie haben Mitleid mit dem Mann?"

Rabanus: „Jedenfalls habe ich keine Lust, um eines dummen Paragraphen willen einen Menschen unglücklich zu machen und seine Zukunft zu vernichten."

Dem Bätes stehen schon die hellen Tränen in den Augen. „Och, Mann", sagt er mit tremolierender Stimme, „Ihr seid zu jut för mich, dat han ich nit verdient. Macht Euch nur selber nit unjlücklich."

Ist das der Anfang eines Geständnisses?

Rabanus hilft vorsichtig nach. „Außerdem, Herr Vorsitzender, ist die Sache gar nicht des Aufhebens wert. Der Täter war — und das nehme ich hiermit ausdrücklich auf meinen Zeugeneid — der Täter war offensichtlich stark betrunken. Er taumelte von einer Seite auf die andere und lallte wütende Worte, ich habe die Energie bewundert, die alkoholische Verbissenheit, mit der er immer wieder auf das Denkmal losging. Der Mann war im höchsten Grade bezecht und verdient aus diesem Grunde mildernde Umstände."

Auf mildernde Umstände spitzt Bätes die Ohren. Das geht ihm ein. „Seht Ihr, Mann, dat sagt Ihr richtig. Nit nur bezecht, blau wie ein Veilchen! Elf Jlas Bier im Balg un die Körnches dazu un nix ordentlich jejessen."

Rabanus: „Vielleicht — das kann ich allerdings nicht auf meinen Eid nehmen — vielleicht war sich der Täter nicht einmal klar darüber, was das für ein Denkmal war. Ich weiß nicht, ob das für die juristische Beurteilung von Bedeutung ist."

Der Vorsitzende: „Angeklagter, hören Sie mal her. Sie kennen doch das Denkmal unseres Allergnädigsten Landesherrn?"

Bätes: „Un upp dem laß ich nix komme. Ich war Füselier bei de Neununddreißiger, un unser Hauptmann, dä hätt immer för mich jesag, Bätes, hätt hä jesag —"

Der Vorsitzende: „Sie haben also gewußt, wen das Denkmal darstellt?"

Bätes: „Jewußt nit viel, Herr Jerichtshof, mit die vierzehn Jlas Bier im Balg un dä viele Schabau un jenau nix jejesse."

Der Vorsitzende: „Sie geben also jetzt zu, die Sache gemacht zu haben, bestreiten aber, in Ihrer Trunkenheit das Denkmal erkannt zu haben? Was haben Sie sich denn dabei gedacht?"

Bätes: „Och, lewen Här, von wejen denke, mit siebzehn Jlas Bier —"

Der Vorsitzende: Sie müssen sich doch irgendwas vorgestellt haben. Für was haben Sie das Denkmal denn gehalten?"

Bätes: „För wat ich dat Denkmal jehalde hab? Och, Herr Jerichtshof, eijentlich för nix. Vielleicht för sone allejorische Fijur, wie mer se hat. För sone Art Joethe oder wie mer dat nennt."

Das ist die Wendung.

Durch den Zuschauerraum geht ein Rauschen. Die Presseherren schreiben und kommen nicht mit, die Richter sehen sich verblüfft an. Das hat niemand erwartet, an die Möglichkeit hat keiner gedacht, aber es ist nicht von der Hand zu weisen: Majestätsbeleidigung setzt eine absichtliche, gegen den Landesherrn gerichtete Handlung voraus. Wenn der Angeklagte sich im Augenblick der Tat nicht klar darüber war, wen das Denkmal vorstellt — und das kann man ihm angesichts seines trunkenen Zustandes auch nicht beweisen — wenn er es nur für eine Art Goethe hielt: Bei Goethe ist es keine Majestätsbeleidigung. Bei Goethe ist es bloß grober Unfug.

Urteil: Drei Mark Geldstrafe, durch die Untersuchungshaft verbüßt.

•

Wimm abermals an der Gerichtskasse.

Nun ist es soweit. Er streicht die Belohnung ein und ist blaß vor Gier. Er weiß kaum, wie ein Hundertmarkschein aussieht. Jetzt bekommt er drei Päckchen davon, und jedes hat zehn wohlgezählte Stück. Seine langen Finger zittern.

Aber zwei Schritte hinter ihm hat sich der Bätes aufgebaut, breitbeinig und stark, mit geheftetem Blick und fangbereiten Armen. Es wird ehrlich zugehen mit dem ehrlich verdienten Geld.

Eine Stunde später: Wimm hat sich eingekleidet wie ein Kammersänger und hat zwei Bräute im Arm. Morgen wird er ein Geschäft anfangen, Rechtsberatung, Finanzierung, Pfandgeschäft. Bätes aber läuft wie ein Wiesel mit Paketen durch die Straßen und verproviantiert seine Familie für drei Jahre im voraus. Den Rest bringt er zum Herrn Pastor, „als Notjrosche för de alde Dag".

*

Rabanus bekam am Nachmittag durch Eilboten eine Einladungskarte.

Sie geben sich die Ehre?

Man dankt für die Ehre. Lieber wird man einen alten Besen fressen.

Als es sieben war, rasierte er sich. Nicht deswegen — warum soll man sich abends nicht rasieren?

Als es halb acht war, zog er sich an. Nicht wegen der Einladung — bloß, weil er sich einmal festlich sehen wollte.

Und als es von Sankt Lambertus acht schlug, war er auf dem Wege zu Treskows. Nicht weil er hingehen wollte. Sondern um es sich noch einmal zu überlegen.

Als er vor dem Hause stand, sah er weiches, warmes

Licht durch die Spalten der Jalousien und hörte gedämpfte Musik und flirrendes Stimmengewirr.

Wenn sie ihm Abbitte tun wollen, darf man nicht unversöhnlich sein.

Die Billa, die ihm den Mantel abnahm, blickte ihn erstaunt an. Ja, mein Kind, dachte er, die Welt ist ein Karussell.

Sobald Trude ihn sah, flog sie auf die Mama. „Mutti, der Vater hat noch schnell den Herrn Rabanus eingeladen. Du sollst nicht böse sein, läßt er dir sagen."

Elisabeth ist entsetzt. Ihr Mann ahnt offenbar nicht, was für ein Mensch das ist. Aber man darf jetzt kein Aufsehen erregen. Sie läßt sich nichts merken und begrüßt den Gast mit zurückhaltender Höflichkeit. Übrigens macht er, wenigstens äußerlich, eine gute Figur.

Inzwischen ist Trude beim Vater. „Pappi, die Mutter hat noch schnell den Herrn Rabanus eingeladen. Du sollst nicht böse sein, läßt sie dir sagen."

Staatsanwalt von Treskow ist einigermaßen perplex. Merkt denn seine Frau nicht, was für eine dunkle Existenz das ist? Aber man darf vor den Gästen nichts merken lassen. Er begrüßt den Gast mit höflicher Zurückhaltung. Ein Glück, daß der Mensch sich wenigstens anständig benimmt.

Rabanus wundert sich über den frostigen Empfang. Vielleicht ist das in diesem Hause üblich.

Er sucht Trude.

Trude ist im langen Tüllkleid zur plötzlichen

Dame erwachsen und wird von sorgfältigen jungen Leuten umkreist. Sie muß ihn wohl bemerkt haben, denn sie wird jedesmal ein bißchen verwirrt, wenn er zu ihr hinübersieht. Er tut es häufig und hat seinen Spaß an dem Spiel.

Inzwischen haben sich Herr und Frau von Treskow zu einer kurzen Aussprache gefunden.

„Herbert, ich verstehe dich wirklich nicht —"

„Liebe, es ist mir unbegreiflich —"

„Was hast du dir eigentlich —"

„Wie konntest du —"

„Wieso ich —"

„Ich??"

Das Truggebäude zerfällt. Diese unverschämte Kröte! — Bitte nicht jetzt! — Zunächst muß dieser Mensch unauffällig entfernt werden: Bedauerliches Mißverständnis und so weiter.

Wo ist Rabanus?

Rabanus sitzt im Wintergarten mit dem Herrn Oberstaatsanwalt. Sie sprechen lange und leise miteinander und haben sich wohl einiges zu erzählen. Der Oberstaatsanwalt scheint durchaus nicht indigniert über den Gast; er fragt und lächelt und schüttelt den weißen Kopf und nickt; dann stößt er mit dem jungen Mann an, drückt ihm die Hand, steht auf und nimmt ihn beim Arm und kommt auf die Treskows zu:

„Ich habe mich gefreut, diesen jungen Herrn bei Ihnen zu treffen. Wir haben uns ausgezeichnet unterhalten."

Herr und Frau von Treskow wissen nicht, was sie sagen sollen. Trude ist herangehuscht und hört mit Nase und Mund.

„Wie gesagt, wir haben allen Grund, unsern jungen Freund gut zu behandeln, und ich würde mich nicht wundern, mein lieber Treskow, wenn er demnächst in ein näheres Verhältnis zu Ihrem Hause träte. Es würde der gegebenen Sachlage entsprechen — und wenn ich offen sein darf — ich würde es auch im dienstlichen Interesse begrüßen."

Dem braven Treskow bleibt der Verstand stehen: „Herr Oberstaatsanwalt, nehmen Sie es nicht übel, aber das verstehe ich nicht."

„Das sollen Sie auch nicht verstehen. Es genügt, daß Sie es mir glauben."

Der Vorgesetzte hat gesprochen. Staatsanwalt von Treskow beugt sich der Autorität und bemüht sich leutselig um ein Gespräch mit dem empfohlenen Gast. Und Elisabeth wird ihn bei Gelegenheit einiges fragen. Rabanus ist bereits mitten in der Unterhaltung und erzählt von seinen Studien in Rom, Paris und München.

„In München waren Sie auch? Da lebt übrigens ein sehr berühmter Namensvetter von Ihnen, der Augenarzt Professor Rabanus. Haben Sie schon von ihm gehört?"

„Sie sprechen von meinem Vater?"

Die sprachlose Pause benutzt der Oberstaatsanwalt, sein Glas zu nehmen:

„Mein lieber Treskow, wir wollen darüber nicht

vergessen, weswegen wir zusammengekommen sind. Ich gratuliere Ihnen zu Ihrem Erfolg. Es freut mich für unsere Behörde, daß der Täter so schnell ermittelt und zur Aburteilung gebracht ist. Es freut mich für unser Land, daß die Tat sich nicht als politische Demonstration, sondern als blöder Witz eines Betrunkenen herausgestellt hat. Und es freut mich für Sie persönlich, daß Sie unbekümmert Ihren Weg gingen und im rechten Augenblick das rechte Glück hatten. Glück ist erste Voraussetzung des Erfolges. Nur solche Beamte kann man brauchen. Ich trinke auf Ihre Ernennung zum Ersten Staatsanwalt."

Die spitzen Kelche klingen. Rabanus tut mit, als Jüngster, nicht als Geringster. Er fühlt seltsame Blicke, das lustige Zwinkern des Oberstaatsanwalts, Treskows geweitete Augen, Frau Elisabeths mütterliches Wohlwollen. Und was Trude angeht, so benutzt er den einsetzenden Walzer und schwenkt mit ihr davon. Man hat sich einiges zu sagen.

Treskow erholt sich zusehends und faßt seine Gefühle dahin zusammen:

„Aber ich bin froh, daß ich diesen verfluchten Maulkorb hinter mir habe. Ich war stellenweise mit meinen Nerven derartig herunter, Herr Oberstaatsanwalt, daß ich manchmal fast auf den Gedanken kam, ich hätte es am Ende selber getan. Können Sie sich so etwas vorstellen?"

*

Der Landesherr soll, als er später durch einen Zufall von dem Maulkorb-Attentat erfuhr, lautschallend gelacht und sich auf die Schenkel geklopft haben. Am meisten über seine Rede, die in den Zeitungen nicht erschienen war und nicht erscheinen konnte – weil er sie gar nicht gehalten hatte.

Sein Denkmal steht noch heute auf dem Marktplatz. Staatsanwälte tun ihm nichts mehr. Nur friedliche Tauben fliegen um sein Haupt und setzen sich zutraulich auf Schulter und Helm.

Heinrich Spoerl
Gesammelte Werke
560 Seiten. Serie Piper 852

»Heinrich Spoerl gehört zu den in der deutschen Literatur überaus
seltenen Schriftstellern, die sich auf den Humor verstehen. Er mochte
die Menschen, und er mochte sie gerade, weil sie keine Engel sind.
Liebenswürdig und mit leichter Feder nahm er ihre kleinen
Schwächen aufs Korn und freute sich (mitsamt seinen Lesern)
diebisch, wenn er hinter der Fassade wohlgesetzter Würde einen
menschlichen, wenn auch nicht ganz engelhaften Kern entdeckte,
sogar bei Staatsanwälten...«   Düsseldorfer Nachrichten

Der Gasmann
Ein heiterer Roman.
137 Seiten. Serie Piper 1316

Die Hochzeitsreise
143 Seiten. Serie Piper 929

Lust am Lachen
Ein Lesebuch
Hrsg. von Uwe Heldt.
406 Seiten. Serie Piper 1170

Den verschiedenen Spielformen, das Zwerchfell zu erschüttern, will dieses Lesebuch nachspüren, und dabei versuchen, allen Varianten des Lachens gerecht zu werden – neben dem donnerhallend-schenkelklopfenden also auch und vor allem jenem Gelächter, zu dem die Literatur einlädt: eher leise, aber lange wirksam mit List und Raffinesse angezettelt.

Als Mittäter dieses vergnüglichen Anschlages auf die Gesichts- wie auf die Gehirnmuskeln treten Altmeister wie Jean Paul, Heinrich Heine, Honoré de Balzac oder Mark Twain auf, dazu kommt eine Vielzahl humoristischer Attentäter aus unserem Jahrhundert, die schon zu Klassikern geworden sind: Kurt Tucholsky, Karl Valentin, Michail Sostschenko, Erich Kästner, Jaroslav Hašek etc. Und schließlich wirken auch noch die Spezialisten aus der Gegenwart mit, wie Gerhard Polt, Franz Hohler, Robert Gernhardt, Matthias Koeppel oder Mathias Richling.